CW00863445

R.T. Fazio

DER WIND VON STATION 5

Roman

Impressum

Die Deutsche Nationalbibliothek verzeichnet diese Publikation in der Deutschen Nationalbibliografie; detaillierte bibliografische Daten sind im Internet über http://dnb.de abrufbar.

© 2019 R.T. Fazio

Grafik: Wlad74/ rusty426/ frankie's/ Shutterstock.com

Herstellung und Verlag: BoD – Books on Demand, Norderstedt

ISBN: 978-3-7448-3122-2

IN GEDENKEN AN ANNA SEILER –
BERNS UNSCHEINBARE HELDIN UND IHR
STETES VERMÄCHTNIS.

PROLOG

*E*in bedeutender Mann sagte einst: *«Der Wind weht, wo er will, und du hörst sein Sausen, aber du weisst nicht, woher er kommt und wohin er geht.»*

Einfache, aber ebenso erhellende Worte, wenn man sich vergewissert, dass es im Leben tatsächlich Dinge gibt, die zwar irgendwo greifbar sind, die man trotzdem nicht in den Griff kriegt. Diese verflixten Situationen, in denen man sich ertappt, wiederfindet und plötzlich nicht mehr genau weiss, wie es überhaupt dazu gekommen ist, und wohin die Reise schliesslich führen wird. Wie ein Traum, den man beim Erwachen vergeblich einzufangen versucht, obwohl er so real ist, dass man die Grenze zur Realität beinahe vergisst …

DER TRAUM

*O*h ja, es ist ein traumhafter, ja geradezu märchenhafter Ort, den man entlang des idyllisch gelegenen Sees durchwandert. Ein Uferweg führt an laubreichen Buchen, stämmigen Föhren und verträumten Trauerweiden vorbei, die auch mal einen Teil ihrer hängenden Äste spärlich ins Wasser recken. Und noch bevor sich diese malerischen Naturgalerien endlos weiterziehen, führt eine Natursteintreppe aufwärts zu einer Waldlichtung. Ein kleiner Park lädt dort durch das belebende Grün von gepflegtem Rasen und strotzendem Farn sowie den entzückenden Farben buschiger Strauchrosen, ausladender Hortensien- und Azaleensträuchern auf einer schlichten Holzbank zur entspannenden Rast ein. Praktisch vor den Füssen, über einen kleinen Steg passierbar, führt ein schmales, durch Steine richtunggebendes Bachbett vorbei, das sich den Weg zum Seeufer sucht.

Mit zunehmenden Schritten ragt zur Rechten in Ufernähe eine alte, schlicht gebaute Steinkirche hinter verdeckendem Pfeifenstrauch und üppigem Flieder hervor, während sich linkerhand ein schmaler, hügeliger Pfad im scheinbaren Nirgendwo verliert. Dieser Weg lotst durch einen grosszügig von Weinblättern überhangenen Steinbogendurchgang, dessen kunstvoll gestaltete Eisentüren geöffnet und am unteren Ende mit Gras überwachsen sind. Hat man die Pforte einmal passiert, eröffnen sich links und rechts des Hauptpfads weitere anliegende Wege, die von ausserhalb durch all die fürstlichen Zypressen und Sträucher abgelenkt, nicht aufgefallen wären. Genauso wenig fallen dort die verwitterten, stark vermoosten Grabsteine und Steinkreuze ins Auge, die sich nun entlang der Wege in Gruppen oder einzeln verstreut wie stille, ehrfurchtgebietende Zeugnisse erheben und gleichwohl den Eindruck der Ruhe und des Friedens vermitteln. Etwas, das sich allerdings erst am oberen Ende des Weges richtig entfaltet – dort, wo sich einem die ganze Perspektive eines verlassenen Friedhofs von pittoresker Schönheit eröffnet.

Doch der verklärte Anblick und die daraus entspringenden Gefühle der Seligkeit nehmen schlagartig eine sonderbare Wende: Auf einen leichten Hügel zuschreitend, erscheinen, durch Geäst immer wieder verborgen, nach und nach Teile einer grossen Steinskulptur. Von einer Mischung aus Neugier und Ehrfurcht gepackt, offenbart sich schliesslich bei der erreichten Anhöhe vor einer knorrigen, aber in Blüte stehenden Linde ein auf einem Sockel stehender Engel mit gezücktem, auf den Boden gerichtetem Flammenschwert.

Hinter dem Engel tritt nahezu unbeachtet eine schlicht, aber festlich, mittelalterlich gekleidete Frau in Erscheinung. Mit einer Jungpflanze, die sie behutsam in ihren Händen hält, bewegt sie sich auf ein etwas fernab liegendes, leeres Grab zu. Dort bleibt sie andächtig stehen. Ein sanfter Windstoss durchstreift ihr langes, goldbraunes, naturgewelltes Haar als Krönung ihrer vollkommenen Schönheit und Ausstrahlung, während sie sich umdreht. Wortlos. Einzig ein Blick voller

Milde und ein Halsanhänger, der auffällig funkelnd ins Auge sticht, bleiben als letzte Erinnerung zurück.

DIE KLINIK

V erdammtes Geflimmer!», murmelte der Bursche, während er mit fixiertem Blick zur Lampenfassung die schon etwas in die Jahre gekommene, wackelige Klappleiter hinaufstieg. Er musste diese leicht, aber penetrant flimmernde Neonröhre unbedingt aus der Nähe begutachten.

«Wieder dieselbe Lampe wie letzte Woche, gell?»

«Mmm … scheint so … eigentlich …», brümmelte der junge Elektriker etwas abwesend vor sich hin, während er gerade mit dem Werkzeug in der Hand die Schrauben der Lampenfassung löste. Er war wieder mal in diesen sonderbaren Traum versunken, den er schon öfters auf ähnliche, aber nie genau dieselbe Art hatte. Erstaunlicherweise konnte er sich erneut an praktisch jedes einzelne Detail erinnern. Aber diese angenehm warme und aufgestellte Stimme hatte ihn nun vollends aus seinem Schlummer geholt, und er schielte suchend über die Schulter nach dem entsprechenden Gesicht. Ehe er zu seiner Antwort ausholen konnte, hatte die junge Frau die kleine Baustelle bereits passiert und schritt nun leichten Fusses und dennoch selbstbewusst den Korridor hinunter. Dabei wandte sie sich noch einmal lächelnd zum etwas unbeholfen wirkenden Burschen: «Schön, dass du da bist. Und danke, dass du dich um das Licht kümmerst.»

Das war freilich eine äusserst kurze, aber keineswegs wirkungslose Begegnung für den jungen Handwerker. Hatte er doch an diesem trüben und windigen Herbstmorgen lediglich den simplen Auftrag gefasst, im zweiten Stock in der Bettenstation des Anna-Seiler-Hauses eine Neonröhre auszuwechseln, die angeblich zum wiederholten Mal Schwierigkeiten bereitete. Und eigentlich wäre er an einem derart typischen Montag lieber im warmen Bett liegengeblieben, da er noch unverkennbar die Nachwehen eines heiteren Wochenendes spürte. Auch die Laune des Chefs war – wie konnte es an einem Montag nicht anders sein – ziemlich durchzogen, um nicht zu sagen miserabel. Natürlich die besten Voraussetzungen, um die Stimmung im persönlichen Keller festgesperrt zu halten. Aber diese unangemeldete Lieblichkeit hatte es geschafft, in einem Augenblick den hartnäckigen Montagsblues zu vertreiben.

Doch was für den Elektriker eine unerwartete und vor allem wohltuende Erfahrung bedeutete, gehörte für Elenya zum normalen Alltag. Als überaus herzliche und vor allem aufmerksame, einfühlsame Person hatte Schwester Nya, wie sie von den meisten genannt wurde, gerade erst vor wenigen Monaten die Mitverantwortung in einer vorläufigen Reha-Abteilung übernommen. Damit eroberte sie aufgrund ihrer erbauenden Art die Herzen der Patienten und wurde so unter ihnen innert Kürze als Engel von Station 5 bekannt.

Dort überwachte und pflegte sie vorwiegend Leute, die viel Ruhe brauchten, darunter hauptsächlich altersbedingt geschwächte Personen. Und gerade für die älteren Patienten konnte es vorkommen, dass es zur letzten Reise wurde. Nya hatte sich also auf etwas eingelassen, wobei sie wusste, dass sie auch Leute sterben sehen würde. Aber – und das war ihre besondere Gabe – das schreckte sie nicht im Geringsten zurück, allen Patienten immer wieder mit ihrem Hoffnung machenden Auftreten zu begegnen. Auch wenn es oft den einen oder anderen neuen Versuch dazu brauchte, schaffte sie es immer wieder, selbst dem betrübtesten Gemüt etwas Lebensfreude zurückzugeben.

Genauso ein sonderbarer Fall war Geri. Wegen eines Herzinfarkts war er am Freitagnachmittag eingeliefert worden. Und seit seinem Zimmerbezug hatte er kaum physische oder emotive Regungen gezeigt und liess äusserst wortkarg Stunden, ja Tage verstreichen, als käme es damit einer Erlösung gleich. Genährt wurde er allein durch die Flüssigkeit der Infusion, auch wenn er hin und wieder versucht hatte, etwas feste Speise zu sich zu nehmen. Leider ohne nennenswerten Erfolg. Obwohl er den glücklicherweise frühzeitig erkannten Herzanfall wegen der geistesgegenwärtigen Leute und dem rasch eingetroffenen Rettungsdienst gut überstanden hatte, war er durch seine langjährige Asthmaerkrankung zusätzlich geschwächt. Von der Gesellschaft seiner drei Kinder, die zwischen Freitagabend und Samstagnachmittag vorbeigekommen waren, hatte er deshalb nur Bruchstücke mitbekommen.

Nun hatte auch Nya das Zimmer ihres neu zugewiesenen Patienten betreten, bei dem sich scheinbar die ersten Anzeichen einer positiven Veränderung ankündigten.

«Guten Morgen, Herr Zwick!» Nya schritt aufs Fussende des Bettes zu und musterte prüfend das rundliche, leicht aufgedunsene Gesicht mit den dem Alter entsprechend gezeichneten Stirnfalten und den kräftigen grauen Augenbrauen. «Sie haben wieder etwas Farbe im Gesicht – das gefällt mir.»

«Ach, lassen Sie doch bitte den Herrn im Himmel. Nennen Sie mich einfach Geri.»

13

Sichtlich überrascht hielt die sonst gefasste Pflegefachfrau kurz inne und warf einen Kontrollblick auf den Vitaldaten-monitor, der tatsächlich verbesserte Werte und einen nahezu normalisierten Sinusrhythmus anzeigte. Schliesslich näherte sie sich der Bettseite. «Schwester Nya oder ganz einfach Nya – was Ihnen besser gefällt», berührte dabei behutsam den Unterarm des Patienten, während sie ihm freudestrahlend in die Augen schaute. «Freut mich sehr, Sie endlich sprechen zu hören, Geri!»

«Ach wissen Sie, Schwester, in meinem Alter ist man nicht mehr so gesprächig. Es wird so viel geredet, ohne wirklich etwas zu sagen. Oder man hört zu, ohne zu verstehen.»

«Sie haben leider vollkommen Recht. Trotzdem ist es ja gerade ideal, wenn Sie sich nicht zu fest anstrengen – zumindest bis sich Ihr Zustand wieder etwas stabilisiert hat. Der Stationsarzt hat gemeint, dass Sie vor allem dank den Helden in ihrem Dorf noch unter uns weilen.»

«Daran kann ich mich beim besten Willen nicht mehr erinnern. Weiss nur noch, dass ich mit meinen Kameraden an unserem Stammtisch sass, als dieses beklemmende Gefühl über mich kam und immer stärker werdende Schmerzen im Brustkorb mich zu erdrücken drohten und …» Geri unterbrach seinen Satz und schnappte nach Luft. Die ersten Schweissperlen auf der durch die Anstrengung gerunzelten Stirn wurden sichtbar und der Monitor bestätigte die erhöhten Werte. Nya bemerkte, wie Geri an seinem Erinnerungsblackout grübelte und sah in seinen unruhigen Augen auch etwas Angst aufkommen. Erneut näherte sie sich dem Bettrand, fasste aber diesmal sachte Geris Hand und liess wertvolle Zeit verstreichen, bevor sich die erhoffte Gelöstheit wieder einpendelte.

«Seien Sie beruhigt, Geri. Hier sind Sie bestens versorgt. Wir wollen nicht am vergangenen Unglück herum grübeln, sondern uns darüber freuen, dass Sie hier sind.»

Kaum hatte Nya ausgeredet, klopfte es kurz an der Zimmertür.

«Guten Morgen, Herr Zwick.» Schwester Julia, die auf der Station das Frühstück verteilte, hatte das Zimmer betreten. Mit einem flüchtigen Lächeln und ohne weitere Worte zu verlieren, stellte sie das Tableau auf den Rolltisch und schritt, offensichtlich etwas in Eile unterwegs, wieder davon.

«Nun, wollen wir es heute nochmals mit dem Frühstück versuchen? Oder zumindest mit etwas Hagebuttentee?» Nya hob in servierendem Schwung den Tellerdeckel. «Mmm, was rieche ich denn da? Frisches Schwarzbrot! Herrlich, nicht? Und Früchtequark hat es auch …»

Doch selbst Nyas herzliche Überzeugungskünste konnten eine bedrückende Schwere, die sich wieder in Geris Stimmung niederschlug, nicht überwinden. Sie schien ihn zu erdrücken.

«Ach, herrje», klagte Geri, «was soll ich überhaupt noch hier?»

«Sagen Sie sowas nicht», lenkte Nya umsichtig ein, während sie die Einstellung der Infusion überprüfte. «Das Leben ist endlos kostbar, werfen Sie es nicht einfach weg. Auch wenn Sie zur vorübergehenden Überwachung an dieses Zimmer gebunden sind, bleiben Sie genauso kostbar. Für einige Menschen auf dieser Welt sind Sie sogar das Wertvollste überhaupt! Denken Sie nur an Ihre Kinder, die Sie in den letzten Tagen voller Sorge besucht haben. Und ganz gewiss werden sich Ihre Enkel freuen, wenn sie wieder mit ihrem geliebten Grosspäppu spielen können.»

Im Zimmer wurde es mucksmäuschenstill. Einzig der Klang des Patientenmonitors war zu hören und erinnerte mit jedem Piepton nachdrücklich an den lebensspendenden Herzschlag. Geri liefen Tränen übers Gesicht, während sich seine Augenbrauen langsam aus der versteift strengen Stellung, die seinen Blick verdunkelt hatten, lösten.

«So sind die Gerüchte also wahr.» Geri raffte sich dabei etwas auf und schien auf einmal wie verwandelt.

Nya verzog verwundert das Gesicht. «Was denn für Gerüchte?»

«Sie sind bestimmt der Engel von Station 5, wie alle sagen.»

«Soso. Und wo haben Sie denn das jetzt her?»

«Meine Tochter hat's erzählt. Sie habe davon reden hören, als sie im Aufenthaltsraum Kaffee geholt hat.»

«Ach wissen Sie, lieber Geri», versetzte Nya sichtlich geschmeichelt, liess sich aber nichts anmerken, «wie Sie selbst vorhin gesagt haben, die Leute reden gerne und viel.»

«Das stimmt», nickte Geri. «Nur hat schon lange niemand mehr so lieb zu mir gesprochen wie Sie.»

«Aha, da haben wir ja einen kleinen Charmeur!», zwinkerte Nya schmunzelnd. Und tatsächlich konnte man auch auf Geris Mundwinkeln die ersten Anzeichen eines Lachens erkennen, worauf Nya zu einem weiteren Versuch ansetzte: «Darauf ein Frühstück?»

UNERWARTETES WIEDERSEHEN

Unterdessen war das Geflimmer im Korridor behoben und der Handwerker bereits wieder von dannen. Obwohl er vor der unerwarteten Begegnung mit Nya an diesem Morgen einen unmotivierten Eindruck hinterlassen hatte, kannte man Renz in seinem Umfeld als pflichtbewussten und verlässlichen Arbeiter. Seinem Chef war zwar bewusst, was er an ihm hatte, wusste es aber nicht wirklich zu schätzen. Oder zu wenig. Zumindest gab er es Renz nicht zu spüren. So kam es vor, dass er, genau wie in der Klinik, den Pfusch der beiden Lehrlinge oder auch mal seiner Arbeitskollegen ausbügeln konnte. Deshalb war seine Kompetenz nicht nur unanfechtbar, sondern eben auch selbstverständlich. Und da der Montag auf diese Weise für Renz fast ausnahmslos zu einem nie mehr enden wollenden Krampf mutierte, wurde der Besuch in seinem geliebten, kleinen Stammlokal zur Feier eines überstandenen Tages.

«Hey Fred, alles klar bei dir?» Renz begrüsste mit einem schelmischen Grinsen den vollbärtigen Kerl hinter der Theke, der sich gerade eine Zigarette angezündet hatte und nun, leicht mit dem Kopf nickend, dem Takt von ZZ Tops *Gimme all your lovin'* folgte.

«Eh … Renzu! Sälü!», klang es durch den Musikpegel gedämpft hinter der Theke hervor.

Fred war ein unvergleichlich ruhiger und total netter Kerl, der sich nichts von der Gesellschaft vorschreiben zu lassen schien, sondern das Leben nach seinen eigenen Grundsätzen gestaltete. So pfiff er beispielsweise auf die laufenden musikalischen Trends der 90er, genoss dafür im eigenen Lokal seine musikalischen Vorlieben aus den 70ern und 80ern. Diese Rockbar, wie er sie nannte, hatte er sich als beruflicher Allrounder so gut wie im Alleingang eingerichtet. So wurde aus einem ehemaligen Lager einer mittelgrossen Kneipe der Raum nach und nach zu einem gemütlichen Clublokal mit Bar, Billardtisch, Tischfussball und Spielautomat umgestaltet. Seither wurde es durch den separaten Seiteneingang an ausgewählten Wochentagen abends geöffnet und abwechselnd von Fred oder seinem Kumpel Tim betreut.

«Du siehst wieder mal fit aus», bemerkte Fred, nachdem er genüsslich einen weiteren Zug seiner Zigi als Nebelschwade Richtung Decke geblasen hatte, und nun wie der Sheriff im Saloon mit verschränkten Armen hinter der Theke posierte.

«Alles nur Show», reagierte Renz trocken.

«Stimmt, jetzt, wo du's sagst …» Fred lachte zuzwinkernd. «Nein, im Ernst: Du hast auch schon deutlich müder ausgesehen. Ehrlich gesagt», Fred äugte dabei etwas genauer in Renz' Gesicht, «habe ich dieses Funkeln in deinen Augen schon lange nicht mehr gesehen. Zumindest nicht seit …»

«Das reicht», fiel ihm Renz ins Wort, «lass es gut sein.» Irgendetwas schien Renz kurz aus der Fassung gebracht zu haben. Seine Augen starrten für einen Moment ins Leere.

«Verstehe schon. Wollte nicht …»

«Schon gut.»

«Ach, übrigens», wechselte Fred das Thema und deutete mit dem Kopf Richtung Spielautomat in der hinteren Ecke, «hast du gesehen, wer heute wieder mal da ist?»

Renz hatte dem hinteren Drittel, das mit Stühlen an ein paar kleinen Rundtischen und mit einem Arcade-Spielautomaten ausgestattet war, noch zu wenig Beachtung geschenkt. Zwar hatte er beim Eintreten des Lokals aus der Ferne die üblichen zwei, drei bekannten Gestalten ausmachen können, doch der Typ am Automaten war ihm völlig entgangen. Ungläubig schritt er in die angepeilte Richtung. Während er sich näherte, konnte er in der abgedunkelten Ecke durch das Licht des Spielbildschirms erhellt, definitiv ein ihm wohlbekanntes Gesicht erkennen. Ohne etwas zu sagen, setzte er sich an den leeren Spielerplatz gegenüber und verfolgte das Geschehen am Apparatentisch mit. Sein Gegenüber schien ganz in seine Welt abgetaucht zu sein und nichts um sich herum wahrzunehmen. Er hackte sich konzentriert durch ein beliebtes Abenteuerspiel, das er zu beherrschen schien. Doch nun, im zweitletzten Level stehend, musste auch er sich, nach einem bravurös ausgetragenen Kampf, geschlagen geben.

«Bist ein bisschen aus der Übung, he?», schmunzelte Renz.

Sein Gegenüber, wieder in der Realität angekommen, lehnte sich etwas zurück und schaute auf. Man konnte diese markanten, unverkennbar mediterranen Gesichtszüge klar erkennen, die durch die über die Schulter reichenden, leicht gewellten Haare und dem Fünftagebart etwas kaschiert wurden.

«Hey Renz, mein Guter! Wusste ich doch, dass ich dich hier treffen würde.» Ein freundliches Strahlen wirkte Renz entgegen, während der soeben geschlagene Ritter des Spiels sich vom Stuhl erhob. Renz tat dasselbe, worauf sich die beiden grüssend in die Arme fielen.

«Schön, dich wieder mal zu sehen, Massi.»

«Eine ganze Weile nicht mehr getroffen. Junge, Junge … Renz, du siehst immer noch genau gleich aus – wie damals, in den guten, alten Zeiten. Weisst du noch?»

«Hach, wie könnte ich das jemals vergessen», schwelgte Renz mit, «das war die schönste Zeit meines Lebens. Beste Musik, eingeschworene Rockerbande, jedes Wochenende die reinste Party …» Renz machte eine kurze Pause und schaute Massi nostalgisch an. «Leider hat sich seither sehr viel verändert.»

«Klar», entgegnete Massi scherzhaft. «Die Musik beispielsweise ist inzwischen so richtig mies geworden.»

«Jaja», schmunzelte Renz, «zum Glück haben wir Leute wie den guten Fred, der weiss, was gute Mucke ist.» Dabei drehte er sich flüchtig Richtung Theke, deutete auf Fred und hielt den Daumen hoch, worauf dieser, nach wie vor im Rhythmus mitnickend, ihm mit dem Rockergruss erwiderte. «Aber das ist es nicht.»

Die beiden hatten sich unterdessen an einem kleinen Tisch gesetzt. Massi, der sonst immer wieder etwas Aufmunterndes zu sagen hatte und generell als der Gesprächigere der beiden galt, überkam langsam eine sonderbare Ahnung, die man seinem plötzlichen Schweigen entnehmen und glattweg an seinem Gesicht ablesen konnte. «Erzähl schon, was ist passiert?»

«Du scheinst tatsächlich nichts mitbekommen zu haben …»
«Wovon?»

Massi stellte mit Schrecken fest, dass während der letzten Jahre, in denen er sich allmählich von seinem sozialen Umfeld abgenabelt hatte, eine ganze Menge Dinge passiert waren. Und es fühlte sich zunehmend unangenehm an. Renz seinerseits hatte irgendwann nichts mehr von Massi gehört, nachdem die beiden zusammen durch Dick und Dünn gegangen waren – einfach weg, wie vom Erdboden verschluckt! Niemand wollte genau darüber Bescheid wissen, was der Verschollene tat oder wo er sich aufhalten würde. Nur nebelige, aber meistens völlig zusammenhaltlose Gerüchte tauchten dann und wann in seinem alten Umfeld auf.

«Ich hol uns erst mal was zu trinken», unterbrach Renz die unangenehme Situation und erhob sich vom Tisch, «dann werde ich dich auf den neusten Stand bringen.»

ALLTAGSMELODIE

*N*ach erneut fünf intensiven Tagen standen für Nya endlich zwei arbeitsfreie Tage bevor. Auch wenn die stets unermüdlich wirkende, junge Schwester ihren Job liebte, so schätzte auch sie ihre verdiente Freizeit. Die Zeit, um die nötige Distanz zur Klinik, den Patienten und ihren verschiedenen Schicksalen zu bewahren. Aber auch, um sich einer ihrer gut verborgenen Vorlieben widmen zu können: dem Singen.

Bereits als junges Mädchen hatte sich die kleine Elenya in die Herzen im Kreis ihrer Familie gesungen. Als die Ältere von zwei Kindern eines griechischen Einwanderers und einer Berner Bauerntochter wuchs Elenya gut umsorgt in einem kleinen Dorf am Rand der Schweizer Hauptstadt im unteren Mittelstand der 70er- und 80er-Jahre auf. Dort stachen ihre Gesangskünste im Musikunterricht und später im fakultativen Schülerchor zwar unüberhörbar heraus, blieben dann aber gleichwohl professionell ungefördert im Schulhaus zurück, nicht zuletzt wegen der fehlenden finanziellen Mittel für eine entsprechende Schulung, die zu jener Zeit eh begrenzt waren.

Doch Elenya liess sich deswegen nie die Freude am Singen nehmen. Im Gegenteil: Als sich aus ein paar Mitgliedern einer ehemaligen Schülerband eine Art Partyband entwickelte, stieg Elenya dort als Sängerin ein. So wurde aus Elenya Nya, das heimliche Nachwuchstalent. Allerdings fielen die Bandproben aufgrund ihrer Ausbildung zur Krankenschwester und des zunehmenden Berufsengagements der restlichen Mitglieder relativ sporadisch aus, weshalb es eine Hobbyband blieb, die sich kaum irgendwelche Auftritte leistete – ausser in höchst seltenen Fällen im ganz kleinen Rahmen eines Privatfestes. Doch auch das hinderte die leidenschaftliche Sängerin nicht daran, von ihrer Goldkehle Gebrauch zu machen, auch wenn sie in den meisten Fällen nur die eigenen vier Wände zu hören bekamen oder bestenfalls der nahegelegene Wald, wenn sie wieder mal zu einem ihrer geliebten Spaziergänge aufgebrochen war.

Ihr Zuhause war in einem alten Stöckli, renoviert und zu einem geräumigen Heim umgebaut und – je nach Verkehrszeit – etwa zwanzig Autominuten von der Klinik entfernt. Nya wohnte zwar in einem separat zugänglichen Studio, aber immer noch bei ihren Eltern, während ihr um zwei Jahre jüngerer Bruder berufsbedingt bereits ausgezogen war. So hatte sie einerseits ihre klar abgegrenzte Privatsphäre, konnte aber andererseits dennoch am Familienleben teilhaben, was sie sehr schätzte. Eine Wohnsituation, die ihr an Tagen wie dem heutigen, anstrengenden und langen Montag besonders entgegenkam.

Wie gewohnt hatte Nya ihre Wohnung summend betreten und sich ihrer Jacke und Schuhe entledigt. Sie liebte es, den Weg über den flauschigen Teppich, der sich einladend von der Garderobe bis in den Wohnraum ausbreitete, als sanfte und behagliche Massage an ihren Füssen zu spüren. Und da auch der Fliesenboden aufgrund der Bodenheizung auf die Jahreszeit bestens eingestellt war und so eine heimelige Wärme abgab, war es für Nya ein willkommenes nach Hause kommen, das üblicherweise mit dem Einschalten der Musikanlage besiegelt wurde. Doch statt dem üblichen Ritual mit einem darauffolgenden, mitsingenden Einstand, blieb Nya für einen Moment andächtig mitten im Raum stehen. In der rechten Hand hielt sie, etwa in der Grösse eines kleinen Handbuchs, ein Gerät, das sie soeben aus einer Schublade des schlichten Sideboards hervorgeholt hatte. Nya schloss die Augen. Dabei hob sie das Gerät, drückte daran einen Knopf und brachte es in Mundnähe:

«Montag, 16. Oktober, kurz vor 18 Uhr … Hey, meine Liebe. Ist schon wieder ein Weilchen her, ich weiss. Obwohl …», Nya unterbrach kurz und öffnete alsdann ihre Augen, «viel ist seither eigentlich gar nicht passiert. Nebst dem Alltag in der Klinik – na, du weisst schon – nichts als die üblichen, peinlichen Geschichten über meine sporadischen Begegnungen mit hübschen Männern. Meistens vergesse ich's zwar einfach wieder, andere Male – wie heute – hinterfrage ich mich, wie ich denn auf das andere Geschlecht überhaupt wirke. Bin ich peinlich? Überfordere ich sie? Weisst du, manchmal möchte ich einfach gerade nur wissen, was ein Mann in meinem Alter tatsächlich von mir denkt. Und ob er mich sieht, wie ich wirklich bin …»

Nya betrachtete nachdenklich ihr Gesicht, das ihr hinter den vereinzelten, ermutigenden Spruchkarten am antiken und stilvollen Fensterflügel-Spiegel über dem Sideboard entgegenblickte. Dabei strich sie mit den Fingern über Stirn und Augenbrauen, liess sie sanft durch die seitliche Haarsträhne gleiten und fuhr anschliessend verträumt mit dem Handrücken über ihre Wange. Praktisch frei von Schminke, kam ihre Natürlichkeit durch ihren leicht gebräunten Teint vollkommen zur Geltung.

«Ach», schüttelte sie kurz darauf lachend den Kopf, worauf sie sich dem Sofa näherte und es sich dort in aller Seelenruhe bequem machte, «du siehst, die belanglose Leier, die ich dir schon zig Mal erzählt habe und sich irgendwie nicht ändert. Damit langweile ich dich ja nur. Aber weisst du was? In der Klinik hatte ich heute ein wirklich besonderes Erlebnis mit einem Patienten. Das muss ich dir erzählen …»

Und sie liess nichts aus. Die ganze Begebenheit rund um Geri erhielt so ihre erzählerische Wiederbelebung, ehe Nya besinnlich abschloss: «Seine Geschichte scheint eine bewegende zu sein. Jedenfalls lässt mich die Sache irgendwie nicht mehr los. Komisch. Das ist doch normalerweise etwas, das ich in anderen Fällen problemlos mit einer gewissen Distanz geschafft habe …»

Nya hatte sich inzwischen wieder erhoben und stand mit fokussiertem Blick und dem Diktiergerät vor dem Mund erneut in der Raummitte. «Ehrlich gesagt, hat mich diese Begegnung tiefer berührt, als ich zulassen wollte …»

Wieder hatte Nya die Augen geschlossen, diesmal aber den Kopf leicht angehoben. Etwas zögerlich und in scheinbarer Zeitlupe trennten sich schliesslich ihre Lippen: Die ersten Worte verschmolzen zu einer sinnlichen Melodie und erklangen als ein Lied. Wie angewurzelt und sehnsüchtig die Befreiung erbittend, rang sie sich behutsam und leidenschaftlich durch die Versworte, bevor sie beim Refrain vollkommen gelöst, fühlbar den Himmel in den Raum holte. Jede Bewegung, jeder Gesichtszug, jeder Muskel und Nerv – ja, geradezu jede einzelne Körperzelle, schien wie durch Fremdeinwirkung inspiriert in einen einzigen Lobgesang einzustimmen.

Keine Frage – bei dieser Solo-Darbietung von *Alone* hätte es selbst Nyas Vorbild Ann Wilson von Heart die Tränen in die Augen getrieben. Obendrauf hätte sie sich vermutlich gefragt, wie eine solche Engelsstimme unentdeckt in einem Zimmer eingeschlossen bleiben konnte.

«Bis bald, mein Herz.» Nya schaltete das Gerät aus und legte es auf ihren Nachttisch. Sichtlich ausgelaugt und dennoch innerlich beglückt, begab sie sich schliesslich Richtung Bad, womit endgültig ihre Ruhezeit begann.

STATION 5

*A*uf Station 5 war es inzwischen nach den üblichen Herausforderungen des Alltags rund um Pflege und Versorgung ruhiger geworden. Die Stabübergabe an das Spätdienstpersonal und die anstehende Nachtwache ging jedenfalls reibungslos vonstatten, und man genoss das flimmerfreie Licht im Korridor. Das mag als nebensächliche Kleinigkeit gelten, war aber in einem etwas in die Jahre gekommenen Krankenhaus keine Selbstverständlichkeit. Als Teil des kantonalen Zentrumspitals, das aber als Universitätsklinik auch überkantonal in ständiger Bewegung und Wandlung war, gehörte das Anna-Seiler-Haus seit seiner Eröffnung um 1954 zu derjenigen Gruppe, die nicht der Lehre und Forschung, vielmehr im Laufe der Zeit als Entlastungsspital als auch zur rehabilitierenden Pflege dienten. Folglich änderte sich an der Infrastruktur nur zaghaft etwas, während viele bestehende Gebäude der heute bekannten Inselgruppe neu strukturiert oder gar abgebrochen und neu erbaut wurden. Zwar kündeten sich zwanzig Jahre nach der Einweihung des Anna-

Seiler-Hauses beim Umbau formelle Änderungen an, standen aber erst Anfang der 90er-Jahre vor einer strukturell-medizinischen Wende, die sich auf die gesamte Inselgruppe bezog. So gesehen war Station 5 eine der noch bestehenden medizinischen Abteilungen der Alten Schule geblieben.

«Sagt mal, hat sich von euch schon mal jemand gefragt, *pourquoi* man eigentlich unsere Abteilung Station 5 nennt?», fragte Pierre mit seinem subtilen, aber unüberhörbaren französischen Akzent, nachdem er im Stationszimmer aufmerksam einer lockeren Unterhaltung zwischen Oberschwester Silvia und Nachtschwester Angela zugehört hatte. «Ich meine, nach Plan heisst es ‹Haus 41 C› und *officiellement* ist hier ‹Bettenstation 1. Stock› – oder etwa nicht?»

Pierre wurde zwar erst vor ein paar Wochen dem Pflegeteam von Station 5 zugeteilt, aber man schätzte von Anfang an seine Bereitschaft, als Pflegeassistent die Nachtwache neben der jeweiligen Nachtschwester und einer weiteren Pflegeassistentin zu teilen. Er hatte kürzlich die Ausbildung zum Pfleger abgeschlossen und war nun im Begriff, sich zum Rettungssanitäter weiterzubilden. Auch wenn er als Welschschweizer mit der deutschen Sprache prima zurechtkam und sich in allen Belangen problemlos integriert hatte, so fielen ihm halt vordergründige Ungereimtheiten sofort auf.

«Das geht auf Anna Seiler zurück», antworte Schwester Angela mit ruhiger Stimme. Sie, die nun schon einige Jahre auf der Station verbracht hatte, wusste mittlerweile, dass die jüngere, nachrückende Pflegegeneration nicht mehr in dem Masse mit der Geschichte des Spitals vertraut war, wie es zu ihrer Zeit noch gang und gäbe war. Und genau das hielt sie erst recht nicht zurück, die Geschichte immer wieder zu erzählen: «Als Stifterin des Inselspitals trägt dieses Haus zum Gedenken ihren Namen. Nachdem man das umgänglich genannte Seilerin-Spital ab 1528 ins ehemalige Dominikaner-

Kloster zu verlegen begann, traf man da scheinbar auf den Begriff Station 5.»

«Wobei es, streng genommen, keine verlässlichen Quellen gibt, die das bezeugen», ergänzte Schwester Silvia. «Ebenso gut könnte die Bezeichnung auf die Krankenstation beim Predigerkloster zurückzuführen sein, in der Anna Seiler als Krankenpflegerin tätig war. Dort waren ja auch die Insel-schwestern anzutreffen, die zeitweilig als Beginen innerhalb der Stadtmauern lebten.»

«Begonien?» Pierre musste lauthals lachen. «Sind das nicht Blumen?»

«Richtig, und schöne auch noch dazu!», reagierte Silvia gewitzt und lachte mit.

«Beginen», akzentuierte schliesslich die Oberschwester und wiederholte: «Beginen, Pierre! Oder auch Begutten.»

«Okay, okay», winkte Pierre immer noch lachend ab, «Beginen, Begonien, Begutten, Inselschwestern – ist doch egal. Aber klärt mich auf, bitteschön.»

«Ja, man nannte sie so», lenkte Angela schliesslich mit einem Schmunzeln ein, nachdem sie gemütlich ihren Espresso leergetrunken hatte. «Ursprünglich bewohnten sie ein kleines Kloster auf einer Insel. Doch nach einer mysteriösen Brandstiftung …»

«Ah! Moment», fiel Pierre etwas unsanft ins Wort, «es gab hier mal eine Insel?»

«Nein, hier nicht. Das muss beim heutigen Turnplatz unterhalb der Kornhausbrücke gewesen sein.»

«Die Brücke zwischen Kursaal und …» Pierre schnippte suchend mit den Fingern, «Zytgloggen?»

«Ja, genau die!», bestätigte Angela und sah zu, wie Pierre sich gerade an der grossen Berner Karte schlau machte, die meistens unbeachtet blieb und deshalb unauffällig platziert rechterhand des Büroeingangs hing. «Darunter liegt am nördlichen Aarehang der Altenberg. Und scheinbar durch einen Mühlenbach getrennt, lag dort mitten im Fluss ein Stück Land wie eine Insel, auf dem schliesslich ein kleines Kloster erbaut wurde. Aber irgendwie war der Frauenkonvent, der seinerzeit durch eine gewisse Mechthild von Seedorf gestiftet wurde, von Anfang an sehr angefochten.»

«Warum denn das?»

«Nun, es deutet vieles darauf hin, dass es wegen des grossen Vermögens war, das Mechthilds verstorbener Gatte Heinrich hinterlassen hatte. Denn Heinrich, offenbar des Lebens müde geworden, hatte beschlossen, die letzten Lebensjahre als einfacher Bruder in einem Kloster zu verbringen. Mechthild selbst liess sich zur selben Zeit unter die Schwestern zu Tedlingen aufnehmen.»

«Tedlingen …»

«Du findest es auf der Karte nicht», unterbrach Angela Pierres Ermittlungen. «Das ist das heutige Detligen und befindet sich nahe der nördlichen Freiburger Kantonsgrenze.»

Pierre nahm achselzuckend die Augen von der Karte und wandte sich wieder aufmerksam in Angelas Richtung.

«Jedenfalls waren Heinrich und Mechthild kinderlos», fuhr Angela fort, «und so vermachte Heinrich vor seinem Tod Teile seines Besitzes dem Kloster, während ein weiterer grosser Teil seine spätere Witwe verwaltete. Doch selbst grosszügige Teile ihrer Besitztümer, die Mechthild zur Stiftung eines eigenen Klosters vermacht hatte, wurden zu einem dauernden Streitherd.»

«Ah voilà», versetzte Pierre stachelig, «immer wenn sich die *église* einmischt, gibt es Ärger!»

«Das kann man nicht einfach generell auf die Kirche abschieben, *jeune homme* …»

«Ach, und warum nicht?»

«Vielleicht, weil du noch nicht die ganze Geschichte gehört hast?», funkte Silvia dazwischen, während sie sich bereits vom Pausentisch erhoben hatte und gerade im Begriff war, für einen Kontrollgang das Stationszimmer zu verlassen.

«*Bien*», beruhigte sich Pierre und wandte sich an Angela: «Warum wurde also gestritten?»

«Nun, das fing damit an, dass das Schwesternhaus in Tedlingen kein geschlossenes Klosterleben zuliess, wie es sich Mechthild nach dem Tod ihres Mannes gewünscht hätte. Der Frauenkonvent stand nämlich unter der Aufsicht des Abtes von Frienisberg, der sowohl über neu aufgenommene Personen wachte als auch über von ihnen mitgebrachtes Gut streng verfügte. Würde also das Schwesternhaus irgendwann aufgelöst werden, so würde alles Hab und Gut auf das Kloster zurückfallen.»

«Oh la la …», wedelte Pierre mit der Hand, «Halsabschneider!»

«Allerdings. Als Mechthild nämlich ihr Vorhaben der Stiftung eines weiteren Klosters erläuterte, musste schliesslich ein Schiedsgericht über die Bedingungen des Projekts entscheiden, da sich die beiden betroffenen Äbte nicht einig wurden.»

«Gab es denn zwei *abbés* in diesem Kloster?»

«Nein, der zweite war aus einem anderen Orden. Mechthild war entschlossen, sich aus der Bewachung des Zisterzienser-Ordens und somit aus den Klauen des Abtes von Frienisberg zu lösen, um künftig unter der Obhut des Dominikaner-Ordens – oder Predigerordens, wie man damals zu sagen pflegte – zu stehen. Die Folge war, dass Frau Mechthild von Seedorf innerhalb eines knappen Jahres den Orden wechselte und die Stiftung und den Bau des Klosters in Brunnadern veranlasste.»

Pierre starrte kopfschüttelnd auf die Karte.

«Brunnadern findest du übrigens östlich vom Tierpark», riet Angela. «Heute steht dort das Brunnadere-Huus.»

«Hmm», murmelte Pierre vor sich hin, während er den Kurs von Mechthild auf der Karte zu rekonstruieren versuchte, «immerhin etwas auf Distanz zum Halsabschneider …»

«Man hätte es meinen können», wandte Angela ein. «Aber als Mechthild mit vier Tedlingen-Schwestern schliesslich dorthin übersiedelte, fing das hinterhältige Gefecht erst richtig an.»

«*Mon Dieu*», schimpfte Pierre und fasste sich mit beiden Händen am Kopf. «Darf ich raten? Die *église* bekämpfte sich gegenseitig.»

«Bis zu einem gewissen Grad, ja.»

«*Parbleu!* Religion! Ich werde das nie verstehen …» Pierre verwarf die Hände und schüttelte genervt den Kopf. «*Mais*», löcherte er dennoch weiter, «hast du nicht am Anfang etwas von – eh, wie heisst das nochmal … Brandstiftung gesagt?»

«Wo brennt es denn?»

Melina, die junge Pflegeassistentin der Nachtwache, war von ihrer Kontrollrunde zurückgekehrt und hatte die beiden in ihrem offenbar vertieften Gespräch überrascht, während sie nun zum Pausentisch schritt.

«Ist erstaunlich ruhig heute Abend», urteilte die pfiffige Blondine, schenkte sich dabei ein Glas Mineralwasser ein und schaute die beiden mit einem befriedigten Schmunzeln an.

«Wie geht's Frau Lehmann?», wollte Angela wissen, «Hat sie sich beruhigt?»

«War wohl einer ihrer kurzen Anfälle», begründete Melina achselzuckend. «Jedenfalls ist sie entspannt eingeschlafen. Einzig Bigler im 102 möchte noch etwas gegen seine Rückenschmerzen. Aber Silvia ist bereits bei ihm, bevor sie dann ihren Dienst für heute quittiert.»

«Das ist schon mal gut», erwiderte Angela zuversichtlich, «auch wenn die Nacht noch vor uns liegt.»

Als Nachtschwester hatte sie schon ganz andere Spätabende und vor allem Nächte erlebt, weshalb sie so ziemlich auf alles vorbereitet war. Doch heute war sie mit dem Erzählen der Spitalgeschichte voll in ihrem Element. Und mit Pierre hatte sie zwar einen etwas kritischen Zuhörer, aber das mochte sie.

«Bevor ich auf die Runde gehe, möchte ich noch die ganze Geschichte gehört haben», forderte Pierre und wollte damit den kurz unterbrochenen Dialog wieder aufnehmen.

«Ja, aber klar doch», willigte Angela mütterlich ein und klapste dabei mit der Hand bestätigend auf das Tischende. «Entschuldige, ich musste halt etwas ausholen, sonst erscheint das Ganze um Station 5 am Ende nicht wirklich aufschlussreich. Aber die Nacht ist ja noch lang …»

«Aha, diese Geschichte! Jetzt ist klar», mischte sich Melina lachend ein. «Ja, da brennt es ein paar Mal …»

«Ah, und du kennst die Geschichte natürlich schon, nehme ich an», stichelte Pierre.

«Klar, als Bernerin sowieso», zwinkerte Melina Pierre von der Türe aus zu. «Ich sehe dann mal nach der Oberschwester, ob sie noch etwas braucht, bevor sie den Dienst übergibt.»

«Ja, junger Mann», wandte sich Angela wieder an Pierre und setzte damit ihren Geschichtsexkurs fort, «diese ominöse Brandstiftung am Brunnadern-Kloster war eine der Folgen politischer Unruhen, die zu jener Zeit ausbrachen und ausserhalb von Berns Stadtmauern als Zeichen der Machtdemonstration vollzogen wurden.»

«Einfach so?»

«Tja, so lief es damals anscheinend. Deshalb war es für Mechthild alles andere als der passende Zeitpunkt, wenn man bedenkt, dass sie sich erst noch von allen habgierigen und missgünstigen Personen rechtlich abgeschirmt hatte. Obendrauf waren sogar alle – teilweise sogar abstrusen und rechtlich unbegründeten – Ansprüche innerhalb der Kirchenmauern geklärt und beglichen! Im nächsten Moment ist der in kurzer Zeit gewachsene Konvent gezwungen, in die Stadt zu flüchten.»

«Barbarisch, wenn du mich fragst …»

«Wirklich harte Zeiten, allerdings. Doch selbst die Flammen hielten Mechthild nicht zurück, unermüdlich das Frauenkloster unter dem Schirm der Dominikaner aufrecht zu erhalten und grosszügig darin zu investieren. Aber bis ihr neues Kloster am Altenberg – das sogenannte ‹Marienthal auf der Insel› oder eben schlicht ‹Inselkloster› – einzugsbereit stehen würde, mussten die Schwestern vorübergehend als Beginen innerhalb der Stadtmauern leben.»

«Beginen. Schon wieder», schmunzelte Pierre belustigt. «Was waren die *exactement*?»

«So nannte man Angehörige einer christlichen Gemeinschaft, die kein Ordensgelübde ablegten und nicht in Abgeschlossenheit, wohl aber in Hausgemeinschaften oder auch alleine in einer bewussten Nachfolge Christi unter dem gewöhnlichen Fussvolk lebten. Und da die künftigen Inselschwestern vorübergehend ohne eigene Klausur waren, lebten sie ohne Schleier in einem Privathaus und gingen – wie zu Zeiten in Tedlingen – so ihren Verpflichtungen nach. Und es würde unerwartet noch viele Jahre so weitergehen, da es mit dem Inselkloster leider nicht gut bestellt war.»

«Wieder Brandstiftung?»

«Genau. Nur war es diesmal bei weitem hinterhältiger als in Brunnadern.»

«Wäre nicht überrascht, wenn die *église* selbst …»

«Das ist eher unwahrscheinlich», fuhr Angela augenblicklich dazwischen, genau wissend, worauf Pierre hinauswollte.

«Vielmehr deutet alles auf politische Intrigen hin, die zu jener Zeit das Volk spalteten. Zuerst machte nämlich der neue König Adolf das Land zum Geschenk, da die Insel als freier Reichsboden galt, dann aber fiel kurz darauf das Kloster einer mysteriösen Brandstiftung zum Opfer.»

«Moment», horchte Pierre auf, «das war ja zur Zeit der Habsburger, Savoyarden, der Laupenkrieg …»

«Der Laupenkrieg war zwar einige Jahrzehnte später, aber ja, es war genau in dieser Zeit des Kampfes um die Vorherrschaft der Reichsstadt», erfreute sich Angela über Pierres Kenntnisse. «Jedenfalls brachten all diese Frevel die Inselschwestern dazu, mit schriftlicher Einwilligung des Papstes ein Kloster innerhalb der Stadtmauern bauen zu dürfen. Doch sollten noch über dreissig Jahre vergehen, bis die Inselschwestern auf dem ehemaligen Judenfriedhof, dem heutigen Ostflügel des Bundeshauses, ein neues Grundstück kaufen konnten. Und von da an dauerte der langwierige Bauprozess weitere hundertdreizehn Jahre», hielt die Schwester nachdenklich fest. «Nicht zuletzt, weil zwischenzeitlich ein Stadtbrand die bereits fertig gebaute Klosterkirche komplett zerstört hatte. Somit wurde erst 1439 wieder ein geschlossenes Klosterleben möglich und damit die religiöse Existenz im Rahmen eines Beginenhauses abgelöst.»

«So viele Jahre? Unglaublich!», empörte sich Pierre. «Aber *chapeau* vor diesen Frauen, sich in einer derart ungerechten Zeit hartnäckig und geduldig durchzusetzen.»

«Vor allem geduldig, ja. Aber als der Wiederaufbau vollendet war, trug das Inselkloster zur geistigen und wirtschaftlichen Blüte bei.»

«Immerhin. Aber, wie wurde daraus eigentlich ein Spital?»

«1528 kam mit der Säkularisierung die grosse Wende und alle kirchlichen Besitztümer wurden dadurch staatlich konfisziert. Damit wurden Klostergut und Name dem Seilerin-Spital vermacht.»

«Ah *voilà*, deswegen heisst es Inselspital – jetzt ist klar …»

«*Oui, Monsieur*», bestätigte Angela mit einem erleichterten Lächeln. «Und somit endet mit der Reformation die lange und umkämpfte Geschichte der Inselschwestern. Aber darauf aufbauend beginnt diejenige des Inselspitals.»

«Ah, *oui*», nickte Pierre, kniff aber alsbald die Augen skeptisch zusammen: «Aber … und Station 5?»

«Ei, ei, ei», griff Schwester Silvia dazwischen, die unterdessen zur Schichtübergabe zur Station zurückgekehrt war und den letzten Teil der Unterhaltung unbemerkt mitverfolgt hatte. «Wird heutzutage eigentlich nichts mehr über die Berner Spitalgeschichte gelehrt?»

«Ach, so lange bin ich doch noch gar nicht in Bern», rechtfertigte sich Pierre. Er war noch zu wenig lange auf der Station, um hinter der autoritär wirkenden Oberschwester den liebenswerten, manchmal auch etwas neckischen Ton herauszuhören.

«Mach dir nichts daraus», versuchte Angela Pierre zu beruhigen, «das geht den Einheimischen nicht besser. Viele Dinge verlieren mit der Zeit ihren Stellenwert. Und allein eine Geschichte zu kennen ändert nichts, wenn man ihr nicht gestattet, die Lehren daraus zu ziehen.»

Angelas abschliessende Worte hatten einen nachwirkenden Hauch von Nostalgie, als sie den Stationsraum verliess und sich auf ihren Dienstgang machte.

«Weisst du», lenkte Silvia ein, indem sie die Geschichte fortsetzte, «Station 5 ist schon ein Mysterium, da der Name nirgends offiziell auftaucht. Nur bruchstückhafte, meist ungereimte Überlieferungen wollen einen Zusammenhang zwischen dem Seilerin-Spital und dem Predigerkloster sehen. Klöster waren nämlich auch dafür bekannt, dass man sowohl der Pflege der Armen und Bedürftigen als auch der medizinischen Versorgung als Dienst der Barmherzigkeit pflichtbewusst nachging. Die Vermutung liegt deshalb nahe, dass Anna Seiler nach dem Tode ihres wohlhabenden Mannes als Begine lebte und bestens mit der Krankenstation des Predigerklosters vertraut war, in dessen unmittelbarer Nähe sich im Übrigen ihr Wohnhaus befand.»

«Und wie ist dann das Seilerin-Spital entstanden?»

Die Oberschwester, die eigentlich schon seit einer Weile Dienstschluss gehabt hätte, schritt zum Büroregal und zog in der oberen Reihe rechts neben einem halben Dutzend dicker Aktenordner eine dünne, dunkelbraune Ledermappe heraus.

«Bitteschön.»

Ohne weitere Worte hatte Silvia die Mappe, die auf den ersten Blick an die Menukarte eines noblen Restaurants erinnerte, sorgfältig auf die erhöhte Tischablage am gegenüberliegenden Ende des Bürotisches gelegt.

«Was ist das?», fragte Pierre etwas baff.

«Das», betonte Silvia, indem sie mit den Fingerspitzen auf die Mappe tippte, «ist ein Testament.»

«Ein Testament?»

«Das Vermächtnis des Seilerin-Spitals», nickte Silvia ergänzend. Und gerade wollte die Oberschwester ausklingend zur weiteren Erklärung ausholen, als sie daran gehindert wurde: Melina war in alarmierender Unruhe am Stationsbüroeingang aufgetaucht, worauf Silvia schnurstracks wieder in ihre Dienststellung schlüpfte: «Was ist los?»

«Zimmer 105, Herzstillstand!»

VERBORGENE WUNDEN

*I*nzwischen hatten sich ein paar weitere Gesichter ins Clublokal verirrt, von denen Massi aber keins kannte. Fred stand immer noch hinter seiner Theke, aber unterdessen in ein Gespräch verwickelt, das er in seiner gewohnten, armverschränkten Pose und in aller Seelenruhe führte und nur dann und wann kurz unterbrach, um die Kundschaft zu bedienen.

«Wo sind eigentlich die üblichen Stammgäste?», wollte Massi von Renz wissen, der mit zwei Gläsern Cola gerade an den Platz zurückgekehrt war.

«Stammgäste? Welche Stammgäste meinst du?»

«Na, du weisst schon: Hoschi, Eggi, Trummi ...»

«Man merkt, dass du schon lange nicht mehr hier warst», schmunzelte Renz. «Hoschi ist nach Solothurn gezogen und Eggi hat vor Jahren eine Flugpiloten-Umschulung im Tessin angefangen.»

«Und Trummi?»

«Keine Ahnung. Seit er eine Freundin hat – nie mehr gesehen.»

Massi wurde es immer unangenehmer. Aber irgendwann würde sich die Frage, die ihm unter den Nägeln brannte, sowieso stellen. «Und was ist mit Lea?»

Renz zog das Glas, aus dem er soeben einen Schluck genommen hatte, vom Mund weg und stellte den Drink auf den Tisch. Sein Kopf hatte plötzlich den Anschein eines aufgerichteten, bleischweren Steins, der kurz vor dem Umkippen steht. Schliesslich ergab sich der sonst nur schwer aus der Fassung bringende Mann und der Kopf folgte seinem bereits gesenkten Blick: «Es ist aus.»

Massi blieb sprachlos. Für ihn waren Renz und Lea eine unzertrennliche Einheit, etwas, das in seiner Erinnerung und Vorstellung einfach zusammengehörte.

«Aber wieso? Hat sie denn …», versuchte Massi wieder anzuknüpfen, starrte aber in seinen Gedanken vertrickt an die Decke.

«Es ist komplizierter, als du denkst», erklärte Renz wieder gefasst. «Sie kannte mich schlicht zu wenig. Aber ich war ihr gegenüber eben zu verschlossen. Und mit der ganzen Sache rund um Chris kam sie einfach nicht klar.»

«Dein Bruder? Warum, was hat er denn damit zu tun?»

«Er lebt nicht mehr.»

Massi war konsterniert. Er hatte plötzlich diesen ausgeprägten Ausdruck, als befinde er sich komplett im falschen Film. Wie konnte er, der Renz so nahegestanden war, sowas nicht mitbekommen? Unsäglich … Er sass einfach hilflos da. Jede Frage, die er fortan stellen würde, wäre ihm unangenehm. Und dennoch war er ja gerade wegen ihm und seiner alten Freundschaft hergekommen.

«W-was ist denn passiert?», fragte Massi, nachdem er sich verschluckt hatte.

Renz holte tief Luft, zog dabei die Augenbrauen nach oben und prustete alsdann das Eingeatmete langsam wieder aus:

«Hach, weisst du, eigentlich ist mir heute etwas Wunderschönes passiert, wie schon lange nicht mehr. Aber immer wieder, wenn mich die Erinnerungen einholen, verfliegt alles.»

«Es … es tut mir leid», stammelte Massi, der bemüht war, die richtigen Worte zu finden. «Es tut mir echt leid, dass ich es erst jetzt und auf diese Weise erfahren muss. Wo wir uns doch immer geschworen haben, füreinander da zu sein …»

«Niemand konnte es ahnen», erwiderte Renz ohne jegliche Anzeichen von Vorwürfen, «niemand hatte es bemerkt.»

Massi schwieg. Er kannte Renz zu gut und wusste, dass er nie einfach drauflos plauderte, sondern wohlüberlegt die Worte wählte. Und aufgrund der Entschlossenheit, die nun von Renz ausging, konnte er sich auf einen ausgedehnten Lagebericht einstellen.

«Vieles, was Chris war, erschliesst sich erst jetzt, wo er nicht mehr da ist», erzählte Renz, während er ins Leere starrte. «Seltsam, nicht? Für mich war er einfach der grosse Bruder – er, der mir in vielem vorausgegangen war und alles korrekt machte. Er, der fortwährend zu den Klassenbesten gehörte, sich zum Architekten hinaufarbeitete und unter seinesgleichen Ansehen genoss. Er, der der Gesellschaft das Klischee des dummen, faulen, langhaarigen Rockers komplett widerlegte.» Renz lächelte und hielt kurz inne. «Aber niemand hätte hinter seiner zuvorkommenden, freundlichen Persönlichkeit je einen Abgrund der Einsamkeit und Verzweiflung auch nur erahnen können. Er muss Kämpfe ausgetragen haben, von denen niemand etwas wusste. Und er hat nachgegeben, ohne dass jemals irgendwer etwas dagegen hätte tun können. Und so fand man ihn tot in seiner Wohnung, einer Medikamentenüberdosis erlegen. Ohne Abschiedsbrief, ohne direkte Hinweise – nichts.»

Massi schien paralysiert, kein Wort kam über seine Lippen.

«Zuerst kam der Schock», fuhr Renz kühl und ausdruckslos fort. «Es war einfach eine Tatsache, die irgendwie niemand wahrhaben wollte. Ein einziger Alptraum, bei dem man jeden Morgen mit der Illusion aufwacht, es wäre glücklicherweise vorbei, um dann nach dem Schlummer erneut vom Grauen gequält zu werden. Die Orientierung darüber, welcher Wochentag oder welche Tageszeit gerade war, kam mir abhanden. Und als ich irgendwann die Realität akzeptierte, musste ich lernen, damit zu leben.» Renz drückte Massi freundschaftlich den Oberarm. «Ich weiss, ich hätte dich jederzeit anrufen können, schaffte es aber nicht. Und irgendwie wollte ich es auch nicht. Denn auch Lea tat sich immer schwerer damit, dass ich mich zurückgezogen hatte und die Gesellschaft mied. Es brachen einfach Gefühle und Fragen in mir auf, die ich niemandem mitteilen konnte – auch Lea nicht. Ich hatte die Überzeugung, dass ich alleine damit fertig werden musste.» Renz nahm sein Glas in die Hand und hielt es prostend vor sich hin. «Tja, und so ging unsere Beziehung dahin.» Beide schwiegen, nahmen einen Schluck aus ihren Gläsern und liessen sich etwas von der laufenden Musik mitnehmen.

Nach wie vor sorgten die bluesrockigen Klänge von ZZ Top für die entsprechende Clubatmosphäre, bevor Fred dann auf die etwas progressiveren Klänge von Deep Purple umstellte. Und für einen Montagabend herrschte mittlerweile reges Treiben am Billardtisch und beim Tischfussball. Massi, immer noch wie der Boxer in seiner Ringecke sitzend und das soeben Gehörte verdauend, schien sich langsam von seinem Knockout zu erholen. Davon ausgehend, dass es keinen irdischen Trost für diesen unfassbar tragischen Verlust gab, suchte er demzufolge auch nicht nach flüchtig kondolierenden Worten. Vielmehr setzte er geradewegs zur nächsten Runde der brennenden Fragen an – eine Gesprächskultur, die den beiden Freunden seit jeher vertraut war. «Was denkst du, passiert, wenn wir sterben?»

«Diese Frage habe ich mir seither oft gestellt, glaub mir, vielleicht gar zu oft …», entgegnete Renz, offenbar auf die Frage wartend und darauf vorbereitet. «Ich meine, welchen Sinn macht es zu leben, wenn plötzlich alles aus ist? Wofür?» Renz lehnte sich zurück, brachte sich in eine bequemere Sitzposition und verschränkte die Hände hinter dem Kopf. «Es muss da doch etwas mehr geben, als allein der Versuch, das Leben zu überleben. Verstehst du, was ich meine?»

«Und wie», stimmte Massi mit nachdenklichem Unterton nickend zu.

«Sag mal», wechselte Renz das Thema, «wo warst eigentlich du all die Jahre, seit wir uns das letzte Mal gesehen haben?»

Massi schien etwas überrascht und kratzte sich am Kopf.

«Willst du das wirklich wissen?»

«Ehm ja, gerne. Es kursieren nämlich so einige bizarre Geschichten …»

«Aha?!»

Beide schauten einander an und erwarteten vom Gegenüber, dass es jeden Moment das Wort ergreifen würde.

«Und?», bohrte Renz schliesslich nach, «Ist es wahr, dass du in der Psychi warst?»

«Wer erzählt denn solches Zeugs?» Massi lachte und schüttelte verneinend den Kopf. «Sonst noch was?»

«Du seist in eine Sekte geraten …», setzte Renz gnadenlos nach und richtete dabei erwartungsvoll den Blick auf seinen alten Freund.

«Jetzt aber – das wird ja immer besser», erwiderte Massi verlegen. «So denken die Leute von mir?»

Renz hatte zwar keine konkrete Antwort erhalten, merkte aber, dass Massi das Thema unangenehm wurde. «Du musst doch zugeben, dass es halt schwierig einzuordnen ist, wenn man mir nichts, dir nichts verschwindet und sein Umfeld mit grossen Fragezeichen zurücklässt.»

«Ja, das war radikal von mir», gab Massi zu. «Und es war eine schwierige Entscheidung. Aber ich konnte nicht anders. Ich musste unbedingt etwas in meinem Leben ändern, bevor ich draufgegangen wäre.»

«Draufgegangen? Wovon?», entgegnete Renz und verzog erstaunt das Gesicht. «Jetzt bin ich aber gespannt …»

«Weisst du, es gibt eine paar Dinge in meinem Leben, auf die ich überhaupt nicht stolz bin und die ich nicht mehr rückgängig machen kann.»

«Komm schon», konterte Renz unbeeindruckt, «das haben wir doch alle, oder etwa nicht?»

«Klar», blinzelte Massi ironisch, «nur damit leben und klarkommen muss jeder für sich alleine. Und wenn dich etwas innerlich auffrisst, dann kann es schnell aus den Fugen geraten, wenn nicht gar fatal enden.»

Renz schwieg. Nun machte alles langsam Sinn. Massi war nämlich nicht nur der gelegentliche Spassmacher oder manchmal auch einfach ein liebenswerter Plauderi, sondern eben auch ein sensibler Mann, den man öfters sehr leicht reizen und beleidigen konnte. Renz wusste das. Und er konnte, wie niemand sonst in seinem Umfeld, sehr gut damit umgehen, weshalb er in diesem Bereich auch nie die Grenzen auslotete. Doch nach dem frühen Tod des eigenen Vaters wurde Massi zunehmend lethargisch und unzugänglich. Der jahrelange Kontakt zu Renz zerbrach, sozusagen unerklärlich, von einem Tag auf den anderen. Keine Telefonate mehr, auch keine zufälligen Treffs in irgendeinem Lokal, das normalerweise von beiden frequentiert wurde. Dabei wusste Renz zuerst nicht, ob er nun über die Situation traurig oder verärgert sein sollte, liess dann aber dem Schicksal seinen Lauf.

Doch nun, Jahre später, fiel es ihm plötzlich wie Schuppen von den Augen, nachdem er sich nochmals Massis Reaktion über seine geschilderte, schwere Zeit und dem Schicksalsschlag um seinen Bruder vor Augen geführt hatte. Und auf einmal kamen ihm die Worte ausserordentlich schwer über die Lippen. «Du ... du meinst ... du wolltest auch allem ein Ende setzen?»

Massi hatte seinen Blick auf den Tisch und die beiden Gläser fixiert und nickte stumm. Schliesslich hob er sein gesenktes Haupt und schaute Renz selbstbewusst in die Augen:

«Ich denke, das erzähle ich dir dann besser bei einer anderen Gelegenheit. Ist eine lange Geschichte und eine schwer zu glaubende, wenn man nicht alle Hintergründe dazu kennt.»

DER FREMDE

Im Zimmer war es dunkel, als Geri die Augen öffnete. Einzig die Beleuchtung des Korridors, die durch die untere Zimmertürspalte hindurch schimmerte, verteilte sich minimal als fahles Licht im Raum. Totenstille. Bis sich auf einmal die Zimmertüre öffnete und ein Mann eintrat.

«Ah, Sie sind wohl vom Nachtdienst – gut, dass Sie da sind», sagte Geri beruhigt und richtete sich etwas auf, während er die Oberkörperpartie des Bettes per Knopfbedienung entsprechend in Position gebracht hatte. «Können Sie mir erklären, warum das Gerät da nicht funktioniert?», und deutete dabei ungläubig auf den ausgeschalteten Vitaldatenmonitor. «Wo … Wo sind …» Geri schien verzweifelt nach etwas zu suchen. «Warum bin ich eigentlich nicht mehr angeschlossen? Und wo ist der Sauerstoffschlauch?!»

Der Mann, unterdessen in der Mitte des Zimmers stehen geblieben, hatte das Ganze regungslos mitverfolgt. «Das brauchst du alles nicht mehr. Stehe ruhig auf.»

«Sonst noch was?», antworte Geri beunruhigt. «Und überhaupt, warum duzen Sie mich eigentlich? Sollten wir uns irgendwie kennen?»

Der Unbekannte schmunzelte, während er langsam auf Geri zuschritt und mit der Hand am Fussende des Bettes über das Namenschild strich.

«Herr Zwick», gab der Mann von sich und starrte dabei auf den von Hand geschrieben Namen, bevor er Geri wohlwollend in die Augen sah. «Oder soll ich lieber Gerhard, Geri oder Fasanen-Geru sagen? Du bist nicht nur ein beliebter Dorfgenosse, sondern auch weit über die Grenzen des Vorstellbaren hinaus bekannt.»

Offensichtlich war Geri über die Art der Kommunikation mit diesem Neuling verwirrt, zumal er sogar seinen Dorf-Kosenamen kannte. Andererseits stellte er zu seinem Erstaunen fest, wie unvergleichlich fit er sich fühlte und wie klar und scharf sein Verstand auf einmal war. Irgendetwas Sonderbares spielte sich da ab.

«Wer sind Sie?», rätselte Geri und stand dabei ungehindert vom Bett auf, als wäre es das Einfachste auf der Welt.

«Ich bin die Stationswache.»

«Stationswache, soso … Jedenfalls habe ich dich hier noch nie gesehen», murmelte Geri laut denkend vor sich hin.

Der Mann lächelte freundlich. «Das denke ich. Und duze mich ruhig, das ist mir sowieso lieber.»

«Seit wann arbeiten Sie – ich meine, seit wann arbeitest du denn hier?», fragte Geri, über das gute Gehör seines Gegenübers erstaunt und deshalb ein bisschen in Erklärungsnot geraten.

«Schon ein Weilchen. Jedenfalls länger als deine Lebensjahre zählen.»

«Dann müsstest du ja etwa um die Achtzig und mehr sein, siehst aber erstaunlich frisch aus für dein Alter.» Geri musterte dabei den mysteriösen Mann, starrte aber schliesslich auf die eigene Bauchgegend. «Was zum … wo ist eigentlich mein Depot hin? Donnerwetter … meine Hände sind ja ganz geschmeidig und … hoppla, ich kann mich bewegen wie ein Schuljunge!» Geri lief im Zimmer umher und begutachtete sich wiederholt selbst, während der Mann schmunzelnd, aber wortlos zuschaute. «Das ist unglaublich, echt unglaublich …»

«Jetzt sag schon», drängte Geri, nachdem er die sonderbaren, aber durchaus erfreulichen Veränderungen zur Kenntnis genommen hatte, «welche Wundermedizin oder Droge ist das?»

Der lakonisch wirkende Gast schaute Geri nochmal kurz an, bevor er sich wortlos abwandte und zum Zimmerausgang schritt. Die Türe war seit seinem Erscheinen unbemerkt offen geblieben.

«Ach so, ich verstehe schon», rief ihm Geri hinterher, «es ist alles nur ein Traum! Habe ich Recht?»

Der Mann, mittlerweile im Korridor stehend, winkte Geri einladend zu sich. Anfangs noch etwas verunsichert, folgte er ihm schliesslich nach draussen. Nun im Licht stehend, nahm er die angebliche Stationswache erst richtig wahr: ein gross gewachsener Mann von erhabener Erscheinung. Was aber in ihm ein nicht weniger mulmiges Gefühl hochkommen liess, war die Tatsache, dass der Gang komplett leer war. Nirgends andere Personen, die sonst um diese Zeit als Pflegepersonal oder Nachtwache anzutreffen wären, auch keine herumstehenden Medizinwagen oder von irgendwoher piepende Geräte – gar nichts. Eine unerklärlich verlassene und verkommene Krankenstation, die einem Teil einer Furcht einflössenden Geisterstadt zu gehören schien und nun zusehends ihren äusseren Glanz verlor. Dabei lösten sich die Tapeten von den Wänden, als würde sie jemand vom Grundgemäuer rupfen. Und wie von einem Moment auf den anderen in einen Sturm geraten, entfesselte sich ein schauriges und gleichzeitig faszinierendes Schauspiel der Rückentwicklung im Zeitraffer, das von erdbebenartigen Erschütterungen begleitet wurde.

«W-Wo … Wo bin ich hier?», stammelte Geri, merklich überfordert und völlig orientierungslos, als sich die ungewohnte Prozedur beruhigt hatte, und er nun unter seinen Füssen unebenen Naturboden wahrnehmen konnte. Er lief sachte ein paar Schritte und sah sich in der nachtdunklen Umgebung um, die durch das Licht von drei Fackeln entlang einer langen Mauer den geschlossenen Innenhof eines altertümlichen, grossen Wohnhauses zu erkennen gab.

«Du wolltest wissen, wer ich bin», bemerkte schliesslich der Mann, der unbemerkt und etwas abseits des Haupttores zum Innenhof stand, nun aber erkennbar ins Licht rückte. «Nun, du stehst hier auf dem Grundstück von Station 5, chronologisch nach julianischem und gregorianischem Kalender um 1354 ins Leben gerufen. Seit jener Stunde wurde mir der Auftrag erteilt, darüber dienend und schützend zu wachen.»

«Station 5 …», forschte Geri verblüfft, während er sich erst mal an die fremde und düstere Umgebung gewöhnen musste. «Das hier ist ursprünglich Station 5?» Er starrte den Mann an und schien langsam aus einem Delirium aufzuwachen. «Bist du etwa ein …»

«Engel, ganz genau.»

«Und warum hast du keine Flügel? Engel haben doch Flügel, oder?»

Der Mann schaute Geri mit einem gutmütigen Lächeln an, entschwand aber im selben Moment vor seinen Augen wie in Luft aufgelöst, während an seiner Stelle für einen kurzen Augenblick Flammenzungen zurückblieben. Doch ehe Geri irgend etwas über seine Lippen gebracht hatte, öffnete sich irgendwo knarrend eine Türe und die Silhouette eines älteren, leicht gebückten, hinkenden Mannes in schlichter Bauernkleidung erschien in der hinteren Ecke des Hofes, der nun auf Geri zuschritt.

«Erkennst du mich wieder?», fragte der alte Mann vergrämt, entschwand aber dann Knall auf Fall, wie durch Wind vertrieben, wieder. Aber am anderen Ende des Hofes öffnete sich bereits eine andere Türe und ein vornehmer Herr mit langem Mantel und Dreispitzhut, unter dem blonde Locken hervorquollen, näherte sich mit stolzem Gang. «Und jetzt?»

Geri hatte noch nicht mal die Gelegenheit zu reagieren und stand immer noch wie bestellt und nicht abgeholt am selben Fleck.

«Keine Sorge», meinte der elegant gekleidete Mann schnittig. «Ich könnte dir in einer beliebig anderen Gestalt erscheinen und du würdest mich nicht wiedererkennen. Aber das gehört bis zu einem gewissen Grad zu meinem Berufsgeheimnis», unterstrich der Mann mit einer Prise Selbstironie. «Dennoch werde ich mich jetzt dir so zeigen, wie ich unter meinesgleichen aussehe.»

Der vornehme Mann machte ein paar Schritte zurück, als wollte er die nötige Distanz zu seinem Gegenüber sichern. Dann blieb er stehen, sank leicht in die Knie, um zu einem Sprung auszuholen und hob sich schliesslich vom Boden. Und wie er schwerelos mit ausgestreckten Armen in der Luft schwebte, durchbrach ihn gleissendes Licht, das den ganzen Innenhof erhellte, während sich daraus eine Gestalt formte, die wie aus Feuer und Wind zu bestehen schien. Geri ertrug die Erscheinung nicht mehr und sank, mit den Händen das Gesicht verbergend, zu Boden.

«Fürchte dich nicht!», sprach das Wesen mit verklärter Stimme. «Gott, der Barmherzige und Gerechte hat dich beim Namen gerufen und ist mit dir. Als der Wächter dieser Stätte stehe ich unter dem Eid und der heiligen Pflicht, stets und ewig über Gottes Kinder in dieser Station zu wachen und sie heil nach Hause zu bringen.»

Als Geri sein Antlitz wieder erhoben hatte, stand eine ehrfurchtgebietende, mächtige Gestalt mit ausgebreiteten Flügeln von bisher nie gesehener Pracht vor ihm. An Oberkörper, Armen und Beinen trug sie silberne, durch feine Goldverzierungen veredelte Schutzrüstungen, die durch einen cremeweissen, mit silbergrauen Mustern dekorierten und perfekt sitzenden Kapuzenumhang kaschiert wurden. In der rechten Hand hielt sie ein Schwert, dessen Klinge durch züngelnde Feuerflammen umschlungen wurde.

«Gott hat mich beim Namen gerufen? Mich?» Geri haderte ungläubig mit sich selbst und lachte schliesslich verlegen vor sich hin. «Aber ich bin doch selten bis nie zur Kirche gegangen, und ein vorbildlicher Christ war ich auch bei Weitem nicht.»

«Gott, der Schöpfer von Himmel und Erde und Herr über alle Gewalten und Mächte hat voller Gnade tief hinter deine Fassade und in dein Herz gesehen, Gerhard. Überdies hat er die stillen Gebete deiner Angehörigen gehört.»

Geri wurde es heiss und kalt zugleich. Augenblicklich wurde ihm klar, dass er nichts verbergen konnte. Er war auf heiligem Boden gelandet und fühlte sich wie ein offenes Buch, das man nach Belieben durchblättern konnte.

«Ich bin unwürdig!» Geri hielt sich beschämt die Hände vors Gesicht. «Ich habe diese Güte nicht verdient!»

«Deine Ehrlichkeit ist bemerkenswert, Gerhard», antwortete der Engel, der seine Flügel inzwischen eingezogen und das Schwert eingesteckt hatte, «sie war schon immer dein grosses Kapital.»

Geri hatte sein Gesicht immer noch ehrfürchtig in seinen Händen vergraben, horchte nun aber erleichtert auf.

«Tatsächlich hat Gottes Güte und Gnade niemand von sich aus verdient», verdeutlichte der Engel, «Es ist ein Geschenk. Doch der Herr ist gerade denen nahe, die in ihren Herzen gebrochen sind, diejenigen, die den Mut und die Hoffnung verloren haben. Und er hat mich beauftragt, dich zu diesen drei Türen zu begleiten.»

Der Engel machte einen Schritt zur Seite und wies gastfreundlich in Richtung des geöffneten Haupttores, das eine beleuchtete Vorhalle zum Wohnhaus preisgab.

«Aber ich sehe nur den einen Eingang», bemerkte Geri, während er, vom Engel begleitet, neugierig auf das Tor zuschritt. Im Innern der geräumigen Vorhalle angelangt, tauchten aber links und rechts neben dem Haupteingang zwei weitere, kleinere Pforten auf, wovon die linke bereits offenstand. Geri blieb stehen und inspizierte die Umgebung, die durch leicht flackerndes Kerzenlicht erhellt wurde.

«Hier verschmelzen Vergangenheit, Gegenwart und Zukunft – sie werden zur Ewigkeit», belehrte der Engel. «Das ist schwer zu verstehen, wenn man ein Leben lang an das Gesetz der Chronologie gebunden war. Aber diese Türen werden dir einen kleinen Vorgeschmack davon geben, was die Ewigkeit ist.»

IM KLÖSTERLI

*D*ie Begegnung mit seinem alten Freund ging Renz den ganzen Tag nicht mehr aus dem Kopf. Er fragte sich immer wieder, was Massi dazu bewegt haben könnte, sein Leben aufgeben zu wollen. Dasselbe hatte er sich bereits bei seinem verstorbenen Bruder gefragt, worauf er jedoch nie eine Antwort bekommen hatte. Und irgendwie schien damit der ganze Schleudergang der unkontrollierbaren Emotionen wieder von vorne zu beginnen und kein Ende zu nehmen. Ein Zustand, bei dem er ausnahmslos bei den essentiellen Lebensfragen hängen blieb. Deshalb versuchte er sich möglichst oft abzulenken, damit er auf andere und vor allem neue Gedanken kam.

An diesem Abend war Renz bereits zu einem Konzert unterwegs. Fred und sein Kumpel Tim betreuten nicht nur die kultige Rockbar im umgebauten, ehemaligen Restaurant-Lagerraum, sondern organisierten hin und wieder Konzerte im Theatersaal vom Klösterli, einer etwas heruntergekommenen Dorfbeiz am gefühlten Ende der Welt an der Grenze zum Berner Oberland. Meistens spielten dort kleine und mehrheitlich unbekannte Lokalbands. Hin und wieder kam es aber vor, dass es auch ein etwas bekannterer Act aus dem In- und manchmal sogar aus dem Ausland auf diese anonyme Bühne schaffte. Bisweilen nutzten das vor allem bekannte Bands – und zwar auch willkürlich unter der Woche – etwas inoffiziell, um sich quasi zuerst vor einem Testpublikum qualitativ zu bewähren. Insider wussten natürlich Bescheid.

Diesmal war es eine einheimische Band, die sich sowohl landesweit als auch über die eigenen Staatsgrenzen hinaus in der Untergrundszene des etwas härteren Rocks den Ruf eines heissen Newcomers erarbeitet hatte. Laut Fred waren sie im Begriff, so richtig durchzustarten und wollten sich vor Veröffentlichung ihres zweiten Albums auf ihre bevorstehende Europatournee als Supportband vorbereiten.

Der Theatersaal, der als allgemeiner Allzweckraum für Feste, Partys oder sonstige Anlässe genutzt wurde und inzwischen als Mietlokal von der grossen Beliebtheit profitierte, war durch einen langen Gang durch die gesamte Gebäudebreite vom restlichen Gasthaus getrennt. Dem Saal selbst sah man das Alter bei genauem Hinsehen zwar an, doch infrastrukturell war man prima eingerichtet und der Raum liess sich mit ein paar wenigen, schlichten Dekorationstricks in ein einladend feierliches Lokal verwandeln. Und wenn bei einem Konzert die Marke von hundert Personen überschritten wurde, konnte es zwar auch mal eng werden, doch verteilte sich die Menge in den meisten Fällen im Verlauf eines Abends in den restlichen Gasträumen.

«Liebe Leute von nah und fern», ertönte es praktisch auf die Minute genau um acht Uhr aus den Lautsprechern in gepflegt berndeutschem Dialekt, nachdem die laufende Musik langsam erstarb, «Sälü zämä!»

Fred hatte sich unauffällig auf die eingerichtete Bühne geschlichen und stand nun breit grinsend und mit Mikrofon bewaffnet vor einer erwartungsvollen Menge von Krethi und Plethi. Für einen Dienstagabend hatten sich zwar bereits früh beachtlich viele Leute im Klösterli angekündigt, doch nun wurde es zunehmend enger und drohte aus allen Nähten zu platzen.

«Ich heisse euch willkommen hier in unserem bescheidenen Schuppen», verkündete er mit kaum mehr zu verbergendem Stolz. «Wisst ihr, irgendwann zwischen 1872 und 1882 hat man sich in Göschenen und in Airolo an die Arbeit eines revolutionierenden Werks gemacht: den Bau des Gotthardtunnels, die erste Eisenbahnverbindung zwischen Nord und Süd. Und genau auf dieselbe Weise könnte der Sound dieser Jungs, die heute Abend aus dem sonnigen Süden angereist sind, die künftige Rockmusikszene in der Schweiz revolutionieren. Macht euch auf eine energiegeladene, geballte Ladung knackigen Hardrocks gefasst, wie ihr ihn in unseren Breitengraden seit den goldenen Tagen von Krokus nicht mehr gehört habt …» Fred schielte zum Seiteneingang der Bühne, wo die Musiker bereit standen. «Leute, begrüsst mit mir aus dem Tessin … Gotthard!!»

Die Menge hiess mit einem lauten Applaus die vier langhaarigen Mannen willkommen, die der Menge zuwinkten, ihre Instrumente zur Hand nahmen und ohne ein Wort zu verlieren losbretterten.

«Hallo Bern!», schrie der enthusiastische Sänger schliesslich nach dem frenetisch gefeierten Eingangsstück und leitete praktisch übergangslos zum nächsten Song über: «*This is ‹Standing in the Light›!*»

Das Publikum kochte. Dennoch konnte Renz seine Augen nicht mehr von dieser einen Person lassen, die seitlich etwas abseits der Menge stand, leicht im Takt nickte und der Musik folgte. Die Frau, die ihm seltsamerweise bekannt vorkam, trug blaue, leicht verwaschene Jeans und eine schwarze, figurbetonte, knapp die Hüfte bedeckende und äusserst dezent mit Nieten bestückte Lederjacke, über die sich ihr leicht gewelltes, braunes Haar weit über die Schultern verteilte.

«Woher kenne ich bloss diese Frau?», fragte sich Renz laut denkend. Während er in einen Tagtraum versunken, immer noch in dieselbe Richtung schaute, wandte die Frau ihren Kopf und Renz konnte ihr Gesicht erkennen. Er stand da wie angenagelt. «Das kann nicht sein», raunte er leise vor sich hin. «Nein, das ist unmöglich …»

Die Rockerbraut reagierte mit einem freundlichen Lächeln und winkte dem jungen Mann zu. Renz hatte sich zwar wieder etwas gefangen, musste sich aber noch von dieser unerwarteten, emotionalen Lawine erholen. Dennoch schritt er zwar langsam, aber wie magnetisch angezogen, an die Raumseite in die Nähe der unbegleiteten Frau.

«So sieht man sich wieder, was?», schrie sie mit kräftiger, den Lärmpegel überbietender Stimme, während sie sich zur besseren Verständigung Renz zuwandte.

«Dich hätte ich hier nun wirklich nicht erwartet», erwiderte Renz, angenehm überrascht über den freundlichen Empfang.

«Und warum nicht?»

Renz suchte verlegen nach einer Erklärung. «Nun ja …»

«Wegen meines Berufes, habe ich Recht?», funkte die Frau augenzwinkernd dazwischen.

«Ist irgendwie eine etwas gewöhnungsbedürftige Vorstellung, eine Frau in Weiss plötzlich in Rockermontur zu sehen.»

«Du meinst, eine Krankenschwester hört brav Pop oder Schlager?»

«Äh …» Renz nickte achselzuckend. «So in etwa, ja.»

Beide schauten einander kurz an und lachten gleichzeitig herzhaft drauflos, wandten sich schliesslich aber wieder geniessend den motiviert aufspielenden Gotthard zu. Das ganze Konzert verbrachten sie nebeneinander, applaudierten, jubelten und sangen mit – zumindest bei eingängigen Passagen oder den paar bekannten Coversongs. Noch nie hatten sich bei Renz gefühlte fünf Minuten in Nullkommanichts zu einer Stunde ausgedehnt. Und als die letzte Zugabe ausgeklungen war und sich die Band unter tosendem Beifallssturm sichtlich beglückt von der Bühne verabschiedete, wandten sich die beiden wieder einander zu.

«Donnerwetter nochmal, war das geil!», schwärmte Renz. «Die kommen irgendwann ganz gross raus!»

Die Frau nickte begeistert mit einem befriedigten Lächeln. «Woher kennst du sie?»

«Ich kenne den Organisator, der hat sie mir empfohlen. Hatte sie zwar schon länger auf dem Radar, aber bisher schlicht zu wenig beachtet. Und du?»

«Verfolge sie schon seit ihre erste Scheibe herausgekommen ist. Eine echte Wohltat neben dem zurzeit angesagten Grunge.»

«Ha, lustig», erwiderte Renz überrascht, «Magst du den etwa auch nicht?»

«Ich finde einfach, dass er das Gesicht der heutigen Rockmusik durch seine derzeitige Popularität auf deprimierende Art verändert hat.»

«Leider wahr …»

«Ach», träumte die Frau vor sich hin, «ich bin einfach in den 80ern hängengeblieben, bei diesem wiedererkennbaren Sound der grossen Reisser und Hymnen, der dem aktuellen Modetrend komplett diametral gegenübersteht. Was hörst du denn so?»

Renz war erstaunt, mit welcher Kompetenz dieses Berner Meitschi, das im Klösterli offenbar niemand kannte, über Rockmusik Bescheid wusste. Sie war nicht nur bildhübsch, sondern sprach zudem auch seine Sprache. Es war eine Kommunikationsebene, die er nicht einmal mit Lea zu besten Zeiten pflegen konnte. Es fühlte sich ungewohnt an, irgendwie surreal. Und doch vertraut. Das führte schliesslich dazu, dass er die Unsicherheit des Misstrauens, die aufgrund seiner Vergangenheit in ihm hochkam und kurz einen Streich zu spielen schien, einfach fahren liess. Und so unterhielten sie sich – als gäbe es kein Morgen mehr – querbeet über Lieblingsbands, unsterbliche Hits, stilbildende Albumklassiker, markante Gitarrenriffs, griffige Solos, Ausnahmesänger und alles, worüber man sich halt als Rockmusikfan gerne ausspricht. Die Begegnungen mit Bekannten, denen Renz nach dem Konzert hin und wieder ausgesetzt war und die so die Unterhaltung jeweils kurzfristig unterbrachen, reduzierten sich dabei im besten Fall auf ein knappes «Hallo» und «Bis bald».

«Sorry, wir unterhalten uns einfach und ich weiss noch nicht einmal deinen Namen. Ich bin Renzu oder Renz, wie du ja mittlerweile mitbekommen hast.»

«Freut mich, Renz. Nya, also eigentlich Elenya.»

«Elenya …» Renz liess sich den Namen auf der Zunge zergehen, als wäre es Götterspeise. «Bist du aus der Gegend?»

«Aus einem ruhigen, idyllisch gelegenen Kaff am nördlichen Ende vom Längenberg. Also nicht ganz ab der Welt.»

«Habe dich hier noch nie gesehen», äusserte Renz erstaunt, der sonst einen guten Überblick über die regionalen Szenegänger hatte.

«Von meinem Beruf her bin ich halt an unregelmässige Arbeitszeiten gebunden», erklärte die rockige Krankenschwester, «und kann mir deshalb viele ansprechende Anlässe oder

Konzerte zeitlich schlicht nicht einrichten. Und weil ich obendrauf in meinem sozialen wie beruflichen Umfeld die einzige Rockerin bin, wird es zusätzlich schwierig. Trifft es sich also mal, dass ein rockiger Anlass während meiner Freizeit stattfindet, bin ich allein unterwegs. Und deshalb bleibe ich halt in der Szene weitgehend fremd. Aber da ich heute und morgen frei habe, liess ich mich für den heutigen Anlass natürlich nicht zweimal einladen.»

Renz rieb sich das Kinn. «Es fällt mir irgendwie immer noch nicht leicht, den Kontrast zwischen der Krankenschwester, der ich gestern begegnet bin und der Rockerin, mit der ich mich gerade unterhalte, einzuordnen.»

«Scheinen auf den ersten Blick wirklich zwei grosse Gegensätze zu sein, gell?», stimmte die Frau zu. «Aber Rockmusik gehört genauso zu meinem Leben wie mein Beruf, den ich sehr liebe. Genau genommen hat mich die Rockmusik beruflich dazu gemacht, was mich heute als Krankenschwester ausmacht. Sie ist gewissermassen meine zuverlässige und beste Medizin. Klingt verrückt, nicht wahr?»

«Nein, überhaupt nicht. Wenn ich denke, durch welch harte Zeiten mich Hardrock und Heavy Metal hindurch getragen haben …»

Und Renz erzählte ungehemmt drauflos. Über seine Ausgrenzung in der Schule wegen seiner musikalischen Vorlieben, vor allem aber über den schweren Schicksalsschlag seines verstorbenen Bruders und die Folgen der Trauerbewältigung. Auch wenn es Nya beruflich gewohnt war, dass ihr die Patienten oft das Herz ausschütteten, war sie dennoch erstaunt, wieviel dieser junge Mann in vertrauter Spontanität von sich preisgab. Doch ihre ausgeprägte Menschenkenntnis und die bisherigen, nicht zuletzt berufsbedingten Erfahrungen sagten ihr, dass Renz ihr nicht einfach irgendwelche Märchen auftischte, nur um sie zu beeindrucken.

«Bitte entschuldige», sprach Renz total von der Rolle. Durch sein Gegenüber verzaubert, hatte er sich komplett vergessen. «Ich habe dir mein halbes Leben offenbart, obwohl ich dich ja kaum kenne. Solche Dinge bekommt sonst niemand von mir zu hören, höchstens mein bester Freund. Aber …»

«Aber was?», fragte Nya, Renz an den Lippen hängend.

«Aus unerklärlichen Gründen vertraue ich dir», sagte Renz und schaute dabei Nya tief in ihre smaragdgrünen Augen. «Und ich werde den Gedanken nicht mehr los, dich dennoch irgendwoher zu kennen …»

Und da ging Renz auf einmal ein Licht auf.

Nya schaute Renz fragend an, der sich offensichtlich darum bemühte, Ordnung in seine Gedanken zu bringen. «Stimmt was nicht?»

«Ich weiss nicht, ob ich dir das einfach so sagen kann, und zwar, ohne dass du mich danach für total verrückt hältst.»

«Also bis jetzt hätte ich nichts dergleichen über dich gedacht», witzelte Nya, durch das vertrauensvolle Gespräch entspannt, und drängte erwartungsvoll: «Sag schon!»

Renz zögerte erst, fasste aber schliesslich Mut. «Es gibt einen Traum, den ich hin und wieder auf ähnliche Art habe. Immer am selben Ort. Und darin kommt immer dieselbe Frau vor, die dir bis aufs Haar gleicht. Es ist mir heute Abend erst so richtig klar geworden, als ich dich mit offenen Haaren gesehen habe.»

«Aha?»

Nya wirkte überrascht und in ihren Augen spiegelte sich zunehmend Skepsis wider. Ein Anblick, der den gestandenen Rocker verunsicherte. Wie aus dem Nichts prasselten Erinnerungsfetzen der gescheiterten Beziehung mit Lea auf ihn ein, gegen die er sich nur mühevoll wehren konnte. Und nun wurde Renz klar, wie dumm es war, ausgerechnet die Geschichte dieses eigenartigen Traumes zu erwähnen. Aber er konnte nicht mehr zurück. Er musste vollenden, was er angefangen hatte, wenn er glaubwürdig bleiben wollte – egal mit welchen Konsequenzen.

«Sie …» Renz starrte in geistiger Abwesenheit ins Leere.

«Ja? Erzähl schon weiter!» Nyas Worte fühlten sich plötzlich hartnäckig und wie eine unangenehm klammernde Bürde an.

«Sie ist», fuhr Renz schliesslich nach wiederholtem Anlauf fort, während er ihr engelhaftes Gesicht bewunderte, «wirklich wunderschön, makellos und von unglaublicher Ausstrahlung.»

Nya stockte der Atem.

«Aber sie spricht nie», ergänzte Renz. «Das Einzige, was mir von ihr immer wieder in Erinnerung bleibt, ist ein Anhänger, den ich so noch nirgends gesehen habe: ein silberner, kunstvoll gestalteter Engelsflügel, der aus der Form einer linken Herzhälfte herauswächst. Die Herzhälfte selbst ist aus Gold mit einem kleinen, funkelnden Edelstein.»

Nya war vollkommen verstummt. Als wäre jemand einem wohlbehüteten Schatz auf die Spur gekommen, hatte sich ihr heiterer Gesichtsausdruck zu einer blassen Maske verwandelt. «T-tut mir leid, geht mir grad etwas zu weit», flüsterte sie und tupfte sich die Tränen ab.

Renz war ratlos. War er zu weit gegangen?

«Sorry, ich wollte nicht», entschuldigte er sich und versuchte damit die offensichtlichen Scherben aufzusammeln, obwohl ihm nicht im Geringsten klar war, was er verbrochen haben könnte. «Ich ging davon aus …»

«Es war ein unglaublich schöner Abend», unterbrach ihn Nya, «und als solchen möchte ich ihn in Erinnerung behalten.»

Renz blieb entgeistert stehen, während Nya ihm noch einmal in die Augen sah.

«Ich sollte jetzt wohl besser gehen … Tschüss.»

Mit diesen Worten, bei denen sich noch ein schüchternes, schier forciertes Lächeln auf ihre Lippen stahl, begab sich Nya zum Ausgang und verschwand. Die Frau aus dem Traum, die den ganzen Abend am gleichen Ort gestanden war, hatte ihren Platz geräumt – plötzlich und unerwartet. Genau so, wie sie erst gerade noch vor Renz' Augen erschienen war.

.

DER SCHWARZE TOD

*G*eri war nun schon ein beachtliches Stück auf diesem unbehaglichen Uferweg flussabwärts gelaufen. Zumindest fühlte es sich lange an. Das andere Ufer lag fünfzig Meter gegenüber und formte sich ansteigend zum steilen Hang. Weit und breit karges, landwirtschaftlich vernachlässigtes Land, das aber dann und wann durch Tannen und Laubbäume im späten Herbstkleid bereichert wurde. Weiter unten rückten die Ruinen einer niedergebrannten Wohnstätte immer näher ins Blickfeld. Bei genauerem Hinsehen konnte man erkennen, dass das Grundstück auf einer Insel stand, die durch einen hinteren Flussarm abgetrennt wurde.

Geri war für einen Moment stehengeblieben und betrachtete die Überreste auf der Insel bei trüber, feuchtnebliger Abenddämmerung, als wollte er den Trümmern lauschen. Eine seltsame, beunruhigende Stimmung lag in der Luft, die es einem schier verwehrte zu atmen. Während der Fluss ruhig und fast geräuschlos dahin strömte, erklangen aus weiter Ferne die tiefen Klänge einer Glocke. Stimmen wurden plötzlich wahrnehmbar, die von der anderen Flussseite herrühr-ten, aus dem nahe der Insel stehenden Kornspeicher. Es waren hustende und von Schmerzen geplagte Laute, die sich aber immer wieder im Nichts auflösten und von einem schleichenden Nebel verschlungen wurden.

«Was … ist denn … das?» Geri erschauderte, nachdem er seine Augen flussaufwärts gerichtet hatte. Ein dicker, grauschwarzer Nebel, der sich zu einer Gestalt formte, näherte sich langsam, aber unaufhaltsam über dem Wasser. Als ein riesiger, zerfetzter Kapuzenumhang griff er um sich, während sich über dem Haupt eine grosse Sense formte, die bedrohlich in aufgezogener Stellung lauerte. An der gesichtslosen Hauptpartie bildeten sich anstelle der Augen zwei Hohlräume wie die dunkelste Nacht, von unendlich anmutender Tiefe, die wie ein unwiderstehlicher, hypnotischer Sog wirkten, dem man sich nicht entziehen konnte.

«Das ist der Schwarze Tod», bemerkte der Engel, der die ganze Zeit bei Geri gestanden war und ihn nun beschützend mit beiden Händen an den Schultern festhielt. «Du brauchst ihn nicht zu fürchten.»

Immer noch waren die Stimmen von der anderen Seite her wahrnehmbar, schwollen aber mächtig an, während sich der geisterhafte Sensenmann als Unheilbringer in unmittelbarer Nähe über seinem eingenommenen Revier lagerte.

Zugleich aber näherte sich von einem oberen Wohnviertel herführenden Pfad unauffällig eine Menschengestalt. Am unteren Uferweg angelangt, lief sie einige Schritte flussaufwärts und kam auf ihn zu, bis Geri sie als eine Frau um die Vierzig erkennen konnte. Sie trug eine bis zum Boden reichende, anthrazitfarbene Cotte. Diese war um die Taille mit einer Kordel gegürtet und abschliessend mit einer Quaste verziert, während das Haupt der Frau von einem zur Haube gebundenen, schmucken Kopftuch gekrönt wurde.

Die Schritte der Frau wurden langsamer, bis sie schliesslich andächtig stehenblieb. Ihre Augen waren wehmütig aufs gegenüberliegende Ufer gerichtet und streiften über die Ruine auf der Insel. Obwohl ihr Anblick im ersten Moment einen bekümmerten und geschlagenen Eindruck hinterliess, vermittelte ihre Gegenwart Respekt – ja, sogar eine gewisse Ehrfurcht.

Der neblige Sensenmann hatte das Augenmerk bereits auf die Frau gerichtet. Während er sich zu einem fatalen, vernichtenden Angriff erhob, blieb die Frau unverrückt und unbeeindruckt am selben Fleck stehen. Langsam löste sie ihre am Körper ruhenden Arme und richtete ihre leeren Hände wie eine Bettlerin auf ein Gegenüber, dessen Anblick einem das Blut in den Adern gefrieren liess. Doch plötzlich stimmte sie dabei summend in eine, aus einer anderen Welt stammenden Liedmelodie ein, der bald gesungene Worte folgten. Eine greifbare, dramatische Oper sondergleichen fing sich an abzuspielen: Während die Frau kontemplativ ihre Stellung hielt und der dämonische Nebel als das unausweichliche Schicksal bereits zum vernichtenden Schlag ausgeholt hatte, erschienen aus blitzartig entfachten Feuerflammen seitlich der Frau zwei mächtige Lichtgestalten. Als uneinnehmbare Festung schirmten sie die Frau vor der hartnäckig sich ausbreitenden Finsternis ab.

«Elender, Schwarzer Tod!» Eine resolute Stimme durchdrang als entschlossene Kampfansage das Geschehen. «So viele hast du bereits geholt – ohne Vorwarnung, ohne Erbarmen. Dein tägliches Morden nimmt kein Ende. Du machst keinen Halt, weder bei Greis noch bei Kind. Ob Reich oder Arm, wir sind dir alle machtlos ausgeliefert.» Selbstbewusst richtete die Frau mit ausgestrecktem Arm furchtlos den Zeigefinger auf den Sensenmann und seine Beute auf der anderen Uferseite. «Doch ich werde nicht aufhören, deinen qualvollen Totentanz zu bekämpfen – so wahr mir Gott beistehe!»

Das brachte den Todesschnitter offensichtlich in Rage. Denn mit einem erschreckenden Aufbäumen rauschte die Sense durch die Lüfte, bis sie schliesslich in Bodennähe zur erbarmungslosen Schneide wurde. Unter dumpfem Tosen verteilte sich der Nebel als vernichtende Welle über dem Fluss und peilte die Frau auf der anderen Uferseite an. Diese stand nach wie vor unbeeindruckt da, unter dem Schutz der beiden Lichtgestalten, die nun aber aus ihrer Wächterstellung heraustraten. Als gepanzerte Flügelwesen mit mächtigen Flammenschwertern bauten sie ihren leuchtenden Schutzwall erheblich aus, der jede Finsternis auflöste wie der erste Sonnenstrahl die tiefste Nacht.

Die Engel hielten den Schwarzen Tod im Zaum, als sich die Frau aus ihrer konzentrierten Stellung rührte und sich noch einmal nachdrücklich zu Wort meldete: «Wer niederkniet vor Gott, dem Herrn, kann vor allen anderen stehen … und bestehen!»

Einerseits gelassen, andererseits aber sichtlich erschöpft, nahm sie den Rückweg unter die Füsse, während sie sich noch einmal umdrehte und verstohlen auf die Insel blickte. Der teuflische Nebel wich zurück, während er sich vergebens mit vernichtenden Sensenhieben an seinem begehrten Opfer zu vergreifen versuchte, bis er schliesslich bezwungen verschwand.

Auch Geri war geschafft vom Szenario, das sich soeben vor seinen Augen abgespielt hatte, obwohl sich ihm nicht erschloss, warum er gerade an diesem Ort mit dieser Begebenheit gelandet war.

«Du fragst dich sicherlich, warum du dir das alles mit ansehen musstest, nicht wahr?», sprach der Engel aufmerksam.

«Was du gerade gesehen hast, bleibt einem grossen Teil der Menschen verborgen. Sie erkennen zunächst nur das Offensichtliche: In diesem Fall die Gegend, die Stimmung, das Wetter und eine Frau, die sich ans Ufer des Flusses begibt, singt und Selbstgespräche führt.»

«Moment», intervenierte Geri etwas konfus. «Dann habe ich mir das eben nur eingebildet? Oder ist das tatsächlich so passiert?»

«Du hast lediglich das gesamte Bild eines Ereignisses gesehen», konkretisierte der Engel, «das ist alles.»

«Das gesamte Bild wovon denn?»

«Erinnerst du dich, wie du gelernt hast, mich wahrzunehmen?»

«Wie könnte ich das jemals vergessen …»

«Nun», veranschaulichte der Engel, «es braucht etwas Angewöhnungszeit, die Bilder in der geistlichen Welt zu verarbeiten und zu verstehen. Das ist selbst den grossen Propheten so ergangen. Deshalb werde ich dich aufklären: Hier hast du nun in grossen Teilen gesehen, warum ich in den Dienst von Station 5 gerufen wurde und weshalb ich dich begleite.»

Geri strich sich erinnernd mit der Hand übers Kinn. «Ah, stimmt, Station 5.»

«Die abgebrannte Ruine auf der kleinen Insel war ursprünglich eine Stätte des Gebets und der Besonnenheit. Doch die dort verborgen ausgeübte, heilkundige Fürsorge wurde rasch zum Ärgernis für das kontrollierende, patriarchalische Monopol: Erbarmungslose Flammen trieben die Schwestern schliesslich in die Flucht und zerstreuten sie in der Stadt. Aber unter der Obhut eines Ordens konnten sie ihre heilkundigen Praktiken fortan in der Krankenstation innerhalb des Stadtklosters ausüben. Und da die Schwestern ohne eigene Abtei ihre Bleibe unter dem Fussvolk hatten, fand ihr ursprünglich kleiner Frauenorden nach und nach Zulauf.»

«Aha», meinte Geri beruhigt, «dann war das vorhin also eine dieser Schwestern …»

«Eigentlich war es einfach eine Pflegerin, die sich in der Krankenstation um das Wohl der Pilger kümmerte und sich der Behandlung der Kranken und Armen widmete.»

«Also keine Schwester?», rief Geri dem Engel hinterher, der sich gerade auf denselben Pfad der Frau begeben hatte.

Der Engel wandte sich um und schaute Geri friedlich an, worauf er mit dem Kopf auf den vorliegenden Weg deutete. «Komm mit, ich zeig dir was …»

AUF DEM LÄNGENBERG

*E*s war eine Horrornacht. Eine dieser Nächte, in der man vor lauter permanent wiederkehrenden, folternden Gedanken kaum ein Auge zudrückt, sich im Bett wälzt und sich wünscht, es gäbe diesen einen, erlösenden Knopf – einfach alles ausschalten und einschlafen können. Doch das Einzige, was sich ausschalten liess, war der Aufnahmeknopf des Diktiergerätes. Und so wich die Tortur erst in den frühen Morgenstunden durch die körperliche Erschöpfung. Aber immerhin konnte sich Nya auf diese Weise während ein paar ruhigen Stunden erholen.

Bereits früh wieder auf den Beinen, hatte sie sich mit einer erfrischenden Dusche die Spuren dieser Nacht abgewaschen. Doch auch wenn in der Regel ein neuer Tag die Dinge eines Vorabends, aus der Distanz betrachtet, etwas anders oder zumindest erträglicher erscheinen lässt, so liess sich die Begegnung mit Renz nicht einfach so wegwischen. Im Gegenteil: Das Ereignis drückte auf ihre Stimmung. Nya musste sich der Tatsache stellen, dass sie über Jahre zwar gelernt hatte, sich mit einer gewissen emotionalen Distanz an Menschen und ihre Schicksale zu nähern, sie aber nicht nach Belieben darüber verfügen konnte. Unter ihrer natürlichen Herzlichkeit machte sich eine schmerzhafte Zerbrechlichkeit bemerkbar, die sie am Vorabend völlig aus der Fassung gebracht hatte.

Der Tag kündigte sich als bilderbuchhafter Herbstmorgen an, nachdem der hartnäckige Nebel der Vortage sich zwar sachte, aber nun vollends aufgelöst hatte. Felder, Hügel und Wald wurden in reingewaschener Klarheit durch die Sonne angestrahlt und präsentierten sich stolz in ihren betörenden Farben und Kontrasten. Eine schöpferische Lobpreisung, die Nya geradezu einlud, den Weg unter die Füsse zu nehmen und ihren beliebten Ort zu besuchen. Ihre kleine Insel, wie sie diesen Platz nannte, war ein kleiner, idyllischer Teil des nahtlos angrenzenden Waldes. Lediglich ein landwirtschaftlicher Feldweg trennte dieses leicht abgeschnittene Stück vom restlichen Gehölz und war durch einen schmalen Waldweg erreichbar. Eine nahezu unberührte Oase, die im Sommer gelegentlich von vorbeiziehenden Wanderern entdeckt wurde, die sie zu einer Rast einlud. Von der Sitzbank, die perfekt positioniert am südlichen Waldrand stand, hatte man einen atemberaubenden Ausblick auf die ferne Bergkette und über einen Teil des Flusstals. Von da aus konnte man sich die prähistorische Gletscherzunge, die dieses Tal mal bedeckt hatte, anhand der markant geformten Lage deutlich vorstellen.

Nya war eine der wenigen Einheimischen, die sich dieses Naturprivileg regelmässig zu Nutze machte. Während es im Sommer als erfrischender Schattenplatz diente, kam es im Herbst nicht selten vor, dass der Nebel sich zwar rund um die paar verstreuten Häuser zog, er aber etwas weiter unten und abseits vom Wohngebiet wie ein Meer über dem weiten, majestätischen Tal hockte. Genau wie jetzt – ein unbezahlbares Spektakel. Das war dann üblicherweise auch der Augenblick, wo Nya sich selbst vergass. Momente, wo sie spazierend, meistens singend und manchmal sogar tanzend, zu einem Teil der Schöpfung wurde und sich so diesen paradiesischen Waldflecken ganz und gar zu eigen machte.

Doch heute war alles … irgendwie anders.

«Mittwoch, 18. Oktober, kurz vor neun. Liebste, welch ein traumhafter Morgen! Eigentlich sollte mein Herz bei diesem Anblick voller Freude sein. Und meine Seele beschwingt. Aber ich schaffe es nicht. Nicht heute. Nicht nach dieser Nacht. Nicht nachdem, was gestern vorgefallen ist. Ich meine, wie konnte er all das wissen? Woher? Was hat das zu bedeuten? Ich verstehe es einfach nicht … Ach, ich verstehe nichts mehr!»

Nya blieb bei einer kleinen Lichtung stehen, während ihre Augen Richtung Himmel aufsahen, auf eine Antwort wartend. Doch ihre hypothetisch ersehnte Auskunft aus dem Himmel wurde durch ein Knistern unterbrochen. Nya zuckte zusammen und liess in ihrer Aufregung das Diktiergerät aus der Hand fallen. Durch das Dickicht verborgen, hatte sie nicht bemerkt, dass ihr jemand gefolgt war. Zum ersten Mal bei ihrem Inselaufenthalt bekam sie es mit der Angst zu tun. Gefangen in ihrer Gedankenspirale, zermürbt durch ihre bedrückte Laune und gelähmt durch unerklärliche Fremdbestimmung, erstarrte Nya zu Stein. Sie getraute sich nicht, sich zu bewegen, während bereits kalter Schweiss über ihr blasses Gesicht lief.

Wie der erwartete Donner nach zuckendem Blitz durchbrach eine fremde Stimme eine Atmosphäre, bei der man jedes noch so feine Geräusch als die reinste Tortur empfunden hätte: «Bitte entschuldige, wenn ich dich erschreckt habe. Das wollte ich nicht.»

Behutsam näherte sich eine Frau, etwas altmodisch gekleidet, mit langem Rock, Strickjacke und einem grossen Tartan-Schal, womit sie ihren Kopf leicht eingehüllt hielt.

«Du brauchst keine Angst vor mir zu haben», meinte die Frau mit einem unschuldigen Lächeln, hob das Gerät vom Boden auf und streckte es Nya entgegen. «Ich bin Halona, eine alte Bekannte deiner Mutter», fügte sie an und löste den Schal, damit man ihr Antlitz besser erkennen konnte. Ein von Erfahrung gezeichnetes, aber graziles und von leicht zerzaustem, dunkelblondem Haar mit leicht grauen Strähnen umwehtes Gesicht blickte Nya mit grossen, meerblauen Augen treuherzig entgegen.

«Grundgütiger, hast du mir vielleicht einen Schrecken eingejagt …» Der Schock, der deutlich in Nyas Gesicht geschrieben stand, wich einer Erleichterung.

«Halona … welch ein wohlklingender Name. Auch wenn nicht gerade ein geläufiger …»

«Allerdings», lachte Halona still vor sich hin. «Mein Vater war ein Aussteiger und hat eine Zeit lang in einem Indianerreservat verbracht, als er während seiner Nachschulzeit nach Kanada ausgewandert war. Er sah sich auch später immer wieder mit den Indianern auf spezielle Art verbunden; deshalb mein Name.»

Nya erwiderte mit einem bestätigenden Schmunzeln. «Hat er denn eine bestimmte Bedeutung?»

«Er stammt aus dem Indianischen und bedeutet ‹die Glückbringende›. Bereits als Kind war ich aber einfach Lili, da meine Spielkameradinnen meinen richtigen Namen nicht korrekt aussprechen konnten oder sich gar einen Spass daraus machten.»

«Irgendwie verständlich. Geht mir ja mit meinem Namen ähnlich. Nicht alltägliche Namen können manche Leute überfordern, nicht?»

Halona nickte.

«Aber hier im Bernbiet ist das ja völlig normal», ergänzte Nya achselzuckend.

«Und wie!», stimmte Halona schalkhaft zu, worauf sich die beiden anschauten und plötzlich drauflos kicherten wie vertraute Freundinnen. «Du kannst den schönsten oder auch den einfachsten Namen haben, es gibt garantiert eine verhunzte Version davon. Was hat zum Beispiel Aschi mit Ernst zu tun?»

«Ha!», zog Nya vergnügt mit, «Klassiker! Oder Schämpu ist auch ganz toll. Wusste lange nicht, dass damit Hans-Peter gemeint ist.»

«Peschä! Bänz!»

«Oder wie wärs mit Bützu?»

«Oh Gott!», prustete Halona und hielt sich vor Lachen die Hand vor den Mund. «Aber immerhin ist man bei den Mädchennamen etwas rücksichtsvoller und verkürzt im besten Fall lediglich den Namen mit ‹i›. Die ä-Endungen fand ich nämlich immer furchtbar: Niggä, Trixlä, Röslä … Deine Mutter war glücklicherweise einfach Mädy und nicht das eher gebräuchliche Mädlä.»

Nya schaute Halona fragend an. «Woher kennst du denn eigentlich meine Mutter?»

Die Frage schien das lockere Gespräch etwas zu bremsen.

«Aus der Schulzeit», reagierte Halona unbekümmert. «Wir waren zwar nicht in derselben Klasse, aber unsere Väter haben sich etwas näher gekannt.»

«Moment mal», dämmerte es Nya, «jetzt weiss ich, wer du bist! Du wohnst doch im Tenn, dort oben, am anderen Ende des Sagi-Waldes?»

«Du erinnerst dich also an mich?»

«Ehrlich gesagt nicht, nein. Nur vom Hörensagen. Und man hat nicht gerade …»

«Vollende den Satz ruhig, es macht mir nichts aus.»

«… die romantischsten Geschichten über Tenn-Vreni erzählt.»

«Tenn-Vreni», wiederholte Halona mit überspieltem Lächeln. «Ja, ich weiss, das haftet mir seit Jahren an. Die Leute sehen eben nur das, was sie sehen wollen.»

«Also ich sehe dich heute zum allerersten Mal von Angesicht zu Angesicht, nachdem ich bisher nur das Bild der Dorfgeschichten vor mir und dich höchstens flüchtig aus der Ferne gesehen hatte. Und nun …», Nya zögerte und studierte Halonas Gesicht. «Irgendwie schäme ich mich.»

«Nein, musst du doch nicht.»

«Doch», beharrte Nya. «Ich arbeite täglich mit Menschen, die ich nicht näher kenne, und die ich unvoreingenommen annehme, wie sie sind. Und hier, praktisch vor der eigenen Haustür, habe ich mich blauäugig mit unreflektierten Geschichten abspeisen lassen.»

Halona lächelte herzlich. «Du bist zu gütig. Du warst schon immer etwas Besonderes.»

«Danke. Aber, woher …» Nya wollte die Frage vollenden, schaute stattdessen in Halonas Augen, als würde sie darin eine Antwort suchen.

Halona liess einen kurzen Moment der Stille verstreichen, während sich ihre Lippen zu einem wärmenden Lächeln formten. «Als du noch ein kleines Mädchen warst, habe ich dich während einer kurzen Periode oft gehütet. Du hast viel gelacht und Leute um dich herum mit deiner Fröhlichkeit angesteckt. Und mit Musik konnte man dir die grösste Freude machen.»

«Musik? Schon damals?» Nya lachte geschmeichelt.

«Oh ja», bestätigte Halona mit grossen Augen. «Ein alter, batteriebetriebener Kassettenrecorder mit einer Beatles-Kassette war dein ständiger Begleiter. Und wehe, man hätte dir das Gerät für einmal nicht wegen des Batteriewechsels weggenommen …»

«Ha, köstlich!», erwiderte Nya vergnügt und liess ihre Gedanken wandern. «… Aber, daran kann ich mich überhaupt nicht erinnern. Und von einer Halona oder Lili als Kindermädchen hätte Mutter nie etwas erwähnt.»

«Das glaube ich», meinte Halona. «Es wollte ja schliesslich niemand mehr im Dorf mit mir zu tun haben, nachdem mein Mann abgehauen war und irgendwelche Schauermärchen über mich verbreitet hatte.»

«Was denn für Schauermärchen?»

«Würdest du mir denn glauben», holte Halona aus, «wenn ich dir sagen würde, dass die ausgeschmückten Männergeschichten allesamt erfunden sind? Oder dass mein Mann mich verleumdet und gedemütigt hat? Natürlich nicht! Er war ja nach aussen immer der Vorbildliche. Der Nette. Der Zuvorkommende. Die Frauen lagen ihm zu Füssen, haben mich um ihn beneidet …» Halona verdrehte selbstironisch die Augen. «Ha, wenn die gewusst hätten …»

«Das klingt jetzt schon etwas überraschend für mich», wog Nya nachdenklich ab. «Andererseits habe ich ja weder ihn gekannt noch kenne ich eine wirkliche, alternative Version der Geschichten.»

Halona wandte sich wortlos von Nya ab, lief ein paar Schritte zum nahen Waldrand und blieb unweit der Panorama-Holzbank stehen. Ihre Augen schweiften über ein atemberaubendes Nebelmeer, das die untere Hälfte des Tales für sich einnahm und Halona in nachdenkliche Träumerei versetzte. «Ist es nicht märchenhaft? Ganze Dörfer einfach verschlungen. Ihre dazugehörenden Geschichten – vergessen. Angesichts dieser Herrlichkeit erstrahlt alles in neuem Glanz und erschafft damit neue Perspektiven.»

Nya hatte sich inzwischen auf die Bank gesetzt, worauf sich Halona bewusst an sie wandte: «Ich denke, es ist Zeit, dass du die ganze Wahrheit erfährst. Aber ich werde dich nicht dazu zwingen können, sie zu glauben.»

Nya nickte. Daraufhin blickte Halona wieder andächtig in die Weite, faltete die Hände vor ihrem Schoss und sprach, als wollte sie ein fernes Geschehen ins Diesseits holen:

«Mein Gatte war ein Bekannter deines Vaters, ein selbstbewusster und ambitionierter Mann. Es hat sofort zwischen uns gefunkt, als er mir an einem Dorffest vorgestellt wurde. Wir heirateten und träumten vom grossen Familienglück und vom Eigenheim. Alles war anfangs wunderbar, auch wenn wir uns vorerst mit einer alten Mietwohnung in eurer Nähe begnügten.» Halona drehte sich wieder mit einem warmen Lachen in Nyas Richtung. «Du warst ein lebhaftes Kind und konntest deine Mama ganz schön auf Trab halten. Deshalb wurde ich als Quasinachbarin und Bekannte deine Babysitterin, als dein Bruder zur Welt kam. Eigene Kinder hatte ich zu jener Zeit noch keine und es stellte sich irgendwann heraus, dass ich auch niemals welche kriegen würde. Damit begann mein Weg durch die Hölle: Als ich meinem Mann von meiner Unfruchtbarkeit erzählte, reagierte er zuerst ungläubig. Er war der Meinung, dass ich mich vom Muttersein drücken wolle. Das war der Anfang einer nie mehr enden wollenden, psychischen Folter, die mich komplett entkräftete. Als Unfruchtbare fühlte ich mich verantwortlich und schuldig. Ich rechtfertigte also die frustrierte Reaktion meines Mannes.» Halona zuckte mit den Schultern und verwarf ratlos die Arme. «Und so wuchs der gepflanzte Rosengarten der Hochzeit zum überwucherten Dornengestrüpp heran, in dem ich irgendwann jegliche Würde als Frau verlor.»

Nya versuchte zu verstehen. «Und das alles wegen der Unfruchtbarkeit?»

«Es sei eine Schande, ein Fluch! Ich hätte sicherlich irgendwas verbrochen und das wäre die Strafe dafür. Aber weisst du was das Schlimmste dabei war? Ich habe diesen kulturell-religiösen Wahn geglaubt!»

«Unglaublich …»

«Sein ungemeldetes Fernbleiben zum Abendessen nahm drastisch zu», enthüllte Halona weiter, «und seine deklarierte Überzeit entpuppte sich schliesslich als Hurerei, die er eines Tages voller Stolz bekannte. Es sei sein Recht. Und da ich eh keine Kinder kriegen würde, spiele es sowieso keine Rolle, mit wem er es treibe. Irgendwann habe ich es nicht mehr ausgehalten und bin mit dem Allernötigsten zu meiner Freundin geflüchtet. Mit den Folgen, die auch sie erwartete, denn mein Mann hatte mich schnell gefunden. Er meinte, dass ich teuer dafür bezahlen würde, dass ich ihn verlassen wolle. Ja, und so entstanden die Geschichten vom Tenn.»

Nya schüttelte fassungslos den Kopf. «Hinterhältiger, gemeiner …»

«Lass es», griff Halona beherrscht dazwischen, «er ist es nicht wert.»

«Aber wie konnte er bloss all diese Lügen verbreiten?», protestierte Nya.

«Das ging alles sehr perfide», erklärte Halona. «Als ich mich Wochen später wieder ins Haus zurück traute, um mich über den Stand der Dinge zu informieren, traf ich die Wohnung leer an. Den Leuten hatte mein Mann erzählt, dass ich ihn – wie man ihm angeblich verklickert hätte – über längere Zeit heimlich mit anderen Männern betrogen hätte und nun dem Hexenzirkel meiner Freundin beigetreten sei. Seine Geschichte war dermassen glaubhaft, dass deine Eltern mir gar nicht die Möglichkeit gaben, ihnen die ganze Situation zu erklären.»

«Das glaub ich jetzt nicht», insistierte Nya empört. «Und die Leute haben einfach alles für bare Münze genommen?»

«Er hat erzählt, ich hätte das Haus mit einem Fluch belegt. Deshalb liess er die Wohnung räumen, hetzte die Dorfbewohner gegen mich auf und machte sich elegant aus dem Staub. Deinen Eltern waren die Kinder so kostbar, dass sie sie von all diesen Machenschaften fernhalten wollten, weshalb mir deine Mutter untersagte, mich jemals wieder in deine Nähe zu begeben.»

Nya war sprachlos und versuchte das Erzählte anhand der bekannten Dorfgeschichten zu vergleichen. Sie merkte, wie kurzsichtig, klischeehaft und faul die Geschichten rund um Tenn-Vreni im Grunde genommen waren. Dennoch gab es etwas, das sie an den ganzen Ereignissen nicht verstand. «Und warum bist du nicht einfach weggezogen? Ich meine, das hätte doch so manches einfacher gemacht, oder?»

«Für mich vielleicht schon, ja.»

«Aber ... für wen denn nicht?»

TOTENGRÄBER

*D*ie leeren, finsteren und vor allem dreckigen Gassen waren alles andere als ein romantischer Anblick: Fässer, zerbrochene Krüge, gespaltene Holzstücke, Strohreste – überall lag Abfall zerstreut herum. Dabei stieg Geri ein aparter, modriger Geruch in die Nase. Der Mief kam aber nicht vom faulen Gemüse oder den verdorbenen Früchten, und auch nicht von den Fäkalien. Nein, es war weitaus grausiger.

Mittlerweile an die Lichtverhältnisse gewöhnt, schritt Geri durch die schummrigen Wege und achtete vorsichtig darauf, wo er hintrat. Plötzlich konnte er tatsächlich erkennen, was er schon lange befürchtet hatte: Vor ihm lag eine Leiche. Erschrocken wich er ein paar Schritte zurück, ehe er, von Neugierde gepackt, sich in einem zweiten Anlauf wieder näherte. Es war ein Mann, vermutlich mittleren Alters, was nur schwer zu erkennen war, da sein vom Mondlicht blass angestrahltes, mit offenen Augen erstarrtes Gesicht durch Schwellungen, aufgeritzte Wunden sowie getrocknetes Blut an seinen Mundwinkeln entstellt war. Seine Kleider waren zerrissen; grosse Teile blosser Haut waren zu sehen, die mit kleinen und grösseren dunklen Flecken und Beulen übersät war. Der linke Arm lag mit der Handfläche nach oben im Dreck versunken, während die rechte auf der Herzseite der Brust lag. Ein Anblick, als hätte er sich mit den letzten Atemzügen erlösend nach dem Licht ausgestreckt.

Nie zuvor hatte Geri so etwas Abstossendes gesehen. Er war froh, dass es dunkel war, und er nicht noch mehr davon erblicken musste. Er wandte sich um und suchte den Engel, den er aber nirgends mehr erspähen konnte. Auf sich allein gestellt und etwas orientierungslos, folgte er einfach dem Weg in diejenige Richtung, die etwas besser belichtet schien und aus der menschliche Gesänge ertönten. Offensichtlich klang es nach festlicher Stimmung, denn immer wieder konnte man johlend lachende Frauen und genüssliche Laute von Männern zwischen einfach gespielter Pfeifenmusik heraushören.

Über diese grossen Gegensätze des verzweifelten Elends und des unbekümmerten, hemmungslosen Vergnügens betroffen, blieb Geri in der Mitte der Strasse stehen. Es schauderte ihn, als er das Knarren und Gieren von Rädern hörte und aus der Ferne drei Gestalten entdeckte. Ein behäbiger Kerl mit langem Umhang und grossem, leicht herab hängendem Hut, unter dem er die obere Hälfte des Gesichts verdeckte, lief mit der Fackel voraus. Die beiden anderen, ein stämmiger Hüne und ein schmächtiges Bürschchen, rollten eine grosse Schubkarre vor sich her. Bei dem einen Toten, über den Geri noch eben fast gestolpert war, hielten sie an. Diesen wickelten sie nun geschwind und wortlos in ein Leinentuch ein und luden ihn auf, wo er sich zu einem bereits ordentlichen Haufen anderer Leichen gesellte.

«Habt Erbarmen! Bitte helft mir!»

Eine heisere Stimme erklang irgendwo aus dem Verborgenen. Der Mann mit der Fackel schaute suchend um sich. Da, eine vermummte Gestalt trat in Erscheinung und näherte sich ängstlich der kleinen Gruppe.

«Siehst du denn nicht, dass wir bloss einfache Totengräber sind?», blaffte der Gruppenleiter mit seinem unüberhörbaren Unterton von Gleichgültigkeit und wandte sich damit beherrscht und routiniert wieder seiner Arbeit zu, während er mit der Fackel den Leichenhaufen beleuchtete und bedächtig anfügte: «Nicht einmal die Absolution dieser armen Seelen sind wir befugt zu geben.»

«Aber», hielt die gebückte und offenbar von Schmerzen geplagte Gestalt aufsässig dagegen, «wo soll ich denn hin? Alle haben sich in ihre Häuser zurückgezogen oder sind über alle Berge. Was habe ich denn verbrochen?»

«Woher soll ich das denn wissen?», versetzte der Fackelträger genervt.

«Ich, ich will nicht sterben!»

«Sei beruhigt, sterben werden wir alle.»

Eine Aussage, die als schmerzende Wunde den Disput vorübergehend beendete. Alle starrten hypnotisiert auf die abschreckende Totenbahre und schwiegen. Lediglich ein spontaner Windstoss, der das Fackelfeuer zum Flackern brachte, unterbrach die unbehagliche Stille.

Der Vermummte lief zögernd auf die Bahre zu. «Wo geht ihr mit diesen Leuten hin?»

«Zum Massengrab ausserhalb der Stadtmauern», murrte der Fackelträger.

«Massengrab?»

«Ja, Massengrab.» Der brummige Kerl wies erneut mit der Fackel auf die beladene Karre. «Die sind alle tot, verstehst du?»

Der Vermummte erschrak. «S-so viele?»

«Ja … Und es werden mit jedem Tag mehr. Der Schwarze Tod kommt uns alle holen.»

Die Worte klangen hartnäckig, vor allem aber nach jemandem, der sich bereits mit dem Todesschicksal abgefunden hatte.

«Schwarzer Tod? Nein, nein, ich will nicht sterben!», schrie der Vermummte panisch und streckte verzweifelt seine zitternden Arme nach dem Anführer aus. «Erbarmen! Erbarmen!»

«Bleib mir bloss vom Leib! Oder ich stecke dich in Flammen!»

Die Reaktion des Fackelträgers war energisch, aber auch vollkommen abgestumpft. Da trat plötzlich der Kleine, der das Ganze bisher aus seiner zurückhaltenden Position mitverfolgt hatte, unerwartet und entschlossen in Szene: «Balger, er braucht dringend medizinische Versorgung!»

«Das weiss ich», erwiderte dieser, offenbar nach seinem Verhalten benannt, selbstherrlich und trottete entschlossen auf den Kleinen zu. «Aber du hast ja den Medicus und die Bader auch gehört, dass sie gegen diese Seuche machtlos sind. Man erzählt herum, die Pest habe südlich der Alpen bereits ganze Städte aufgefressen. Sogar Geistliche haben sich irgendwo verschanzt und von der Gesellschaft abgeschottet.» Balger warf einen finsteren Blick auf die Toten. «Es ist Gottes Strafe für unser sündhaftes Leben – genauso wie es die Flagellanten bei ihrer Prozession verkündet haben. Aber es ist zu spät. Wir verdienen es nicht besser. Unsere Stadt wird dasselbe Schicksal ereilen. Also was soll's, lass uns Tote begraben, bevor wir selbst begraben werden.»

«Du hast wieder mal zu viel Wein …» Der Kleine wandte sich kleinlaut ab und begab sich zum Karren.

«Ha, vielleicht», prustete Balger hochnäsig hinterher und tippte sich dabei mit dem Zeigefinger an die Schläfe, «aber ich bin immer noch klar bei Verstand.»

«He du!», brummte Balger und lenkte mit einem kurzen Pfiff die Aufmerksamkeit des Kranken auf sich, der sich inzwischen wieder aus der Mitte verzogen hatte. «Hör mal her: Folge der Strasse bis hin zu den Stadtmauern und ziehe danach rechts hinab zum Fluss. Dort wirst du bei einer etwas engeren Stelle am Ufer ein Holzfloss finden, mit dem du dich auf die andere Flussseite hinüberziehen kannst. Bist du einmal dort angelangt, führt ein Weg flussaufwärts zu einem alten Kornspeicher. Dort wird man dir helfen können.» Balger wandte sich mürrisch und kopfschüttelnd ab, indem er brummelnd anfügte: «Vielleicht …»

Der Kleine kehrte überrascht zurück und packte Balger beunruhigt am Arm. «Sag mal, bist du verrückt?»

«Wieso?»

«Du kannst ihn doch nicht einfach ins Siechental schicken!», protestierte der Kleine vorwurfsvoll.

«Ach, und warum sollte ich das nicht können?»

«Er wird dort sterben, sofern er es überhaupt bis ans andere Ufer schafft …»

«Jetzt hör mir mal gut zu, Grünschnabel», entgegnete Balger und tippte dem Kleinen unsanft gegen die Brust. «Ob du es wahrhaben willst oder nicht: Er wird die Seuche so oder so nicht überleben. Unten bei der Siechenscheune ist er wenigstens in guter Gesellschaft. Medizinische Versorgung ist nur etwas für reiche Kaufleute und geistliche Stadtherren. Für Edelmänner, verstehst du? Und wenn schon der gemeine Bürger kaum versorgt wird, was denkst du, wird uns wohl erwarten, hä? Tagelöhner, Mägde, Knechte, Bettler, ja, auch wir Totengräber – wir sind der Abschaum der Gesellschaft. Glaubst du ernsthaft, irgendwer wollte uns helfen? Und erst jetzt, in diesen Tagen der Unruhe und der Scharmützel in unserer Nähe?»

Wieder waren Balgers Worte unangenehm und sassen schwer. Doch der Kleine wollte sich partout nicht mit der fatalen Realität zufriedengeben und schritt auf den Kranken zu. «Hast du schon mal von den Inselschwestern gehört?»

«Nein», horchte der Vermummte auf.

«Man sagt ihnen nach, sie seien mit der Heilkunde vertraut», flüsterte ihm der Kleine zu. «Böse Zungen behaupten zwar, sie seien Hexen und deshalb habe man ihr Kloster in Brand gesetzt. Aber sie leben irgendwo zerstreut in der Stadt, unerkannt. Und sie treffen sich zum Gebet und zur Arbeit im Hospital bei den Predigern.»

Der Vermummte schielte auf ein Gebäude, dessen Dachsilhouette hinter einer Mauer hervorragte. «Dort im Kloster?»

«Genau. Geh bei Tagesanbruch an die Südpforte am anderen Ende der langen Klostermauer. Gib dich als Pilger aus und bitte um die Beichte und einen Rastplatz.»

Balger schüttelte den Kopf. «Du willst ihn wohl ganz verderben, was?»

«Ganz im Gegenteil», entgegnete der Kleine überzeugt, «das könnte ihn retten.»

IN BERNS GASSEN

*N*icht weit aus der Ferne näherten sich Schritte. «Nun macht schon, trödelt nicht so herum. Vorwärts!»

Eine raue und unangenehm herrische Stimme hallte militärisch als unwiderruflicher Befehl durch die düsteren Gassen. Langsam wurden die Umrisse einer kleinen Gruppe röchelnder und hustender Menschen sichtbar, die von einem mit Fackel und Streitaxt bewaffneten, robusten Mann gefolgt und wie ein aufständischer Mob getrieben wurde.

«Verfluchter Mist, ein Wucherer!» Balger geriet in Unruhe.

Der Kleine schaute verdutzt um sich. «Wucherer?»

«Ja, zum Teufel, ein Verbündeter vom Schulze. Steht nicht unnütz herum – rührt euch!», befahl Balger seinen Mannen und winkte den Vermummten weg. «Und du, versteck dich!»

Noch bevor die unüberhörbare Gruppe die Totengräber erreicht hatte, hatte sich der kranke Besucher verkrochen. Balger, der Kleine und der Hüne taten so, als wären sie pausenlos und eifrig mit ihrer Arbeit beschäftigt – gerade so, dass es nicht einen suspekten Eindruck hätte erwecken können.

«Habt ihr gesehen?», brüllte der Wucherer hämisch, «Wollt ihr auch auf dem Karren enden? Also, hopp, hopp! Marsch!»

Die unerbittlichen Rufe wirkten wie Peitschenhiebe auf eine machtlos ausgelieferte Bande, die sich hörig jedem Befehl beugte. Und für Balger schien die Rechnung aufzugehen, unauffällig und unbeachtet zu bleiben.

«Na, ihr da vorne?», rief der Wucherer und zog damit die Aufmerksamkeit der Totengräber auf sich, während er demonstrativ die Axt spienzelte, «Alle Hände voll zu tun, was?»

Balger zog den Hut. «Wir tun nur unsere Pflicht, Herr.»

«Nun seid doch nicht so förmlich», spottete der Wucherer. «Vergesst lieber nicht, was ihr bei den Toten erbeutet, dem Schultheiss abzugeben.»

Balger hob die Fackel bestätigend in die Höhe. «Aber sicher doch.»

«Ach, und», bespitzelte der Wucherer hinterher, «ihr seid nicht zufällig dem einen oder anderen Unreinen begegnet? Einer fehlt nämlich nach meiner Zählung!»

«Nur diejenigen auf dem Karren, Herr», entgegnete Balger kaltblütig.

Der Wucherer hatte es zu Balgers Erleichterung mit einem flüchtigen Nicken geschluckt. «Gut so, die Seuche muss nämlich aus der Stadt, bevor sie uns auffrisst.» Schnippisch und auf sichere Distanz bleibend, schritt der verlängerte Arm des Schultheiss schliesslich an den Totengräbern vorbei, während er weiterhin seine geschwächt torkelnde Bande beharrlich zu den Stadttoren lotste.

Und wie Geri das Geschehen gebannt beobachtete, war es auf einmal, als hätte jemand einen schwarzen Tüllschleier vor seinen Augen weggezogen. Er sah für einen kurzen Moment nicht nur deutlicher, sondern hatte auch eine überaus klare, erweiterte Wahrnehmung: So folgte, wie aus dem Nichts erschienen, der vorbeiziehenden, verseuchten Fraktion plötzlich eine kleine Gruppe von Gestalten in Kapuzengewändern. Eingehüllte Skelette, die zu ekelhaften, widerlichen Klängen tanzten. «Der Schwarze Tod wird euch holen!», hechelten sie dazu in beständiger Wiederholung.

Der Mann, der sich verhüllt und somit unkenntlich hinter der Totenbahre versteckt hatte, trat hervor. «Ich weiss zwar nicht, warum ihr das für mich getan habt, aber … danke.»

«Bedank dich nicht bei mir», murmelte Balger, der gerade ziemlich eingeschüchtert wirkte, und zeigte verlegen auf den Kleinen. «Bedank dich bei ihm!»

Der Kleine, ausgerechnet er. Er, der sich auf ein Wortgefecht mit seinem Chef eingelassen hatte und für den Verseuchten eingestanden war, rieb sich nun mit der Hand ungläubig die Stirn. «Was ist denn mit dir passiert?»

«Ich weiss es nicht. Es ist als …» Der gestandene Boss starrte den Kleinen verwirrt an. Wieder gefasst deutete er mit dem Kinn auf den Hünen. «Schau mal Keule hinter dir an. Siehst du sein linkes Auge? Es ist meine Schuld, dass er das Augenlicht verloren hat.»

«Warum deine Schuld? Ich habe gemeint, es sei vor Jahren während eines Geplänkels am Oberen Graben passiert …»

«Die Wahrheit ist, dass ich damals das Los verfälscht habe und Keule an meiner Stelle in die erste Reihe gezogen ist – gewissermassen als Schutzschild für mich und die anderen.»

Der Kleine schwieg.

«Komm schon, Balger, was spielt das jetzt noch für eine Rolle», lenkte Keule mit tiefer und ruhiger Stimme vorwurfslos ein, «die Schlacht ist ja trotzdem gut für uns ausgegangen …»

«Es spielt sehr wohl eine Rolle, mein Freund!», beharrte Balger. «Denn ich kann dir dein Auge nicht zurückgeben, verflucht! Verstehst du? Auch nicht mit allem unterschlagenen Geld, das ich den Leichen entnommen habe!»

Balger drehte sich beschämt von Keule ab und starrte auf den Boden, ehe er sich zögernd an den Kleinen wandte: «Es haftet an mir wie die Pest an diesem armen Kerl, der vielleicht sein Leben lang nichts Verkehrtes getan hat. Es reicht mir, ein Auge auf dem Gewissen zu haben. Na, du weisst doch: ‹Auge um Auge, Zahn um Zahn›. Ich möchte mir nicht noch ein Menschenleben aufbürden …»

«Hier», rief Balger entschlossen und warf einen kleinen Schnürbeutel klingelnd vor die Füsse des Vermummten, «das sollte reichen, damit man dich bei den Predigern angemessen behandelt, im Falle, dass man dich abwimmeln sollte.»

Der plötzliche Sinneswandel überraschte alle. Niemand wagte es, darauf in irgendeiner Form zu reagieren.

«Nun glotzt mich nicht alle so verwundert an, als hätte ich zum ersten Mal etwas Gutes gesagt oder getan», knurrte Balger. «Kommt schon, lasst uns lieber weitermachen.»

Während die Totengräber bereits weitergezogen waren, um ihrer unehrenhaften Arbeit nachzugehen, blieb der Vermummte allein zurück. Seine anfängliche Rastlosigkeit und Verzweiflung, welche die Begegnung mit den Totengräbern gekennzeichnet hatte, hatte sich gelegt. Er nahm den Schnürbeutel vom Boden und schlich vorsichtig, in der Dunkelheit kaum erkennbar, die Strasse weiter, bis er schliesslich in einer seitlichen Gasse aus dem Sichtfeld verschwand.

Doch am anderen Ende der Strasse, wo eben noch die Totengräber ihre Leichenkarre herum gerollt hatten, trat bei einer hohen Mauer unauffällig ein Mann in Erscheinung, der Geri zu sich winkte. Der Engel hatte sich äusserlich dem Szenario entsprechend angepasst – aber immerhin so, dass ihn Geri erkennen konnte. Als er den Verwandlungskünstler erreicht hatte, folgte er diesem durch eine kleine Pforte, die zu einem leeren Vorplatz führte, der an einem palastähnlichen Bauwerk grenzte. Im Gegensatz zu den dunklen Strassen und Plätzen jenseits der Mauer war hier alles geordneter, gepflegter und sporadisch durch Fackeln beleuchtet. So konnte Geri erkennen, dass es sich um ein kirchliches Gebäude handelte.

«Erkennst du es wieder?», unterbrach der Engel die wortlose Kommunikation.

«Was denn?»

«Es ist zwar am heutigen Gebäude kaum mehr etwas vorhanden, aber …»

«Ja», unterbrach Geri und runzelte nachdenkend die Stirn, «irgendwie kommt es mir tatsächlich bekannt vor …»

«Kein Wunder, du bist ja immer wieder daran vorbeigelaufen, wenn du in der Stadt warst. Und einmal warst du sogar drin, bei einer Hochzeit.»

«Nein, doch nicht etwa … Doch, na klar! Die französische Kirche! Jetzt erkenne ich sie wieder – ich traue meinen Augen nicht …»

Geri blieb ergriffen stehen und liess diese besondere Form der Zeitreise auf sich wirken. Er kam aus dem Staunen nicht heraus. Denn die Kirche ragte lediglich als Teil einer stolzen, geschlossenen Gebäudegruppe hervor.

«Willkommen auf dem Grundstück der Prediger».

«Beeindruckend», nickte Geri und schaute sich um, «wirklich beeindruckend.»

«Und was möchtest du wirklich dazu sagen?», schmunzelte der Engel mit verschmitzter Miene, dem der ironische Unterton in Geris Aussage nicht entgangen war.

«Was ich wirklich dazu sagen möchte ist …»

«Ja?»

«Soll ich das wirklich sagen?»

«Tu dir bloss keinen Zwang an.»

«Man kann echt nichts verbergen, wie?» Geri fuhr ertappt mit der Hand übers Gesicht, als würde er eine Maske abstreifen.

Der Engel blickte Geri amüsiert an. «Laut zu denken ist ja auch kein Geheimnis …»

Geri erinnerte sich gerade an die Herrlichkeitserscheinung des Engels im Innenhof und wie er sich dabei durchleuchtet fühlte. Nach und nach hatte er sich damit zurechtgefunden, dass seine Sinne ausgeprägter und vor allem geistesgegenwärtiger geworden waren. Dennoch stellte sich am jüngsten Beispiel heraus, dass er immer noch selbst die Kontrolle darüber hatte, wann und wie intensiv er diese entsprechend anwenden wollte. Schein- und Halbwahrheiten entpuppten sich als schutzmechanische Ausreden von etwas, das man gerne anders ausgedrückt hätte.

«Etwas kann ich an diesem ganzen Geschehen hier nicht verstehen», meldete sich Geri entschlossen nach kurzer Reflektion zurück. «Gerade noch lief ich auf dreckigen, teilweise matschigen Wegen. Überall schwebte dieser penetrant üble Geruch und eine bedrückende Stimmung der Hoffnungslosigkeit schnürte einem buchstäblich die Kehle zu. Und dann lande ich hier, im Vorhof zum Paradies.» Geri schaute erneut staunend um sich. «Irgendwie verspüre ich dabei grosse Ehrfurcht vor diesen prächtigen Bauten, andererseits löst diese ganze Üppigkeit und der Kontrast zum Elend auf den Strassen in mir Unbehagen aus. Ist denn Gott lediglich ein Gott für die Mehrbesseren? Ist er nicht auch ein Gott der Bedürftigen? Der Kranken, der Gebrochenen und der Elenden?»

«Du hast mehr verstanden als viele der regelmässigen Kirchgänger in deinem Umfeld, Gerhard», sagte der Engel, während er auf den Eingangsbereich der Klosterkirche zulief. Vor einer doppelflügligen Spitzbogentür, die einen Spalt offenstand, blieb er schliesslich stehen. Mit einer sanften, aber doch entschlossenen Bewegung drückte der Himmelsbote den rechten Türflügel leicht auf und lud Geri ein: «Tritt ein und sieh, was in Berns dunkelster Stunde geschehen ist …»

DIE SEILERIN

*K*aum eingetreten, verfiel Geri augenblicklich einer Faszination, der er widerstandslos ausgeliefert war. Bezaubert starrte er zuerst nach oben ins dunkle, unendlich anmutende Nichts, das durch eine flache, kaum sichtbare Holzdecke abgeschlossen wurde. Dann wanderte sein Blick aus dem abgedunkelten Eingangsbereich über die schlichten und dennoch stilvollen Spitzbögen auf runden Pfeilern, die das Mittelschiff von den Seitenschiffen trennte. Alles war mit Kerzenlicht so illuminiert, dass es den Eindruck erweckte, von der Dunkelheit ins Licht geleitet zu werden. Dabei lief Geri ein paar Schritte auf den unebenen Steinfliesen, während er ganz und gar von der Ansicht am anderen Ende eingenommen wurde.

Unmittelbar hinter dem Altar trennte ein schmucker Lettner den Chorraum, der lediglich durch zwei schmale Seitentüren zugänglich und allein dem Klerus vorbehalten war. Das obere Ende des begehbaren Lettners wurde durch ein kunstvoll geschnitztes Holzgeländer abgeschlossen, während die Wand dahinter mit einer prächtigen Freske des Himmelreichs verziert war. Im gedeckten, unteren Bereich hing an der Wand ein grosses Holzkreuz, das den mittleren Spitzbogen ausfüllte und eindringlich hinter dem dezenten Altar hervorstach. Doch was ihn komplett in den Bann gezogen hatte, war der mehrstimmige Frauenchoral, der aus dem Chorraum ertönte und die gesamte Klosterkirche mit entrückendem Zauber und ätherischer Schönheit erfüllte. Geri lauschte den Gesängen und erkannte dieselbe Melodie und dieselben Worte wie bei der Frau am Fluss:

Sanctus, Sanctus, Sanctus
Dominus Deus Sabaoth.
Pleni sunt caeli et terra gloria tua.
Hosanna in excelsis.
Benedictus qui venit in nomine Domini.
Hosanna in excelsis.

In seiner Entzückung hatte Geri komplett übersehen, dass durch seinen Schatten, beinahe bis zur Unkenntlichkeit verborgen, vor dem Altar eine Person kniete.

«Mein Herr und mein Gott …»

Die Gebetsworte der Frau gelangten – trotz der beachtlichen Distanz zum Standort – erstaunlicherweise verständlich zu Geris Ohren: «So vieles habe ich gesehen, so manches habe ich gehört, was mich innerlich erschüttert und mir das Herz bricht. Ich ertrage es nicht mehr. Ich kann nicht mehr schweigen. Ich kann nicht mehr tatenlos zusehen, wie unschuldige Männer, Frauen und Kinder Tag für Tag vom Schwarzen Tod verschlungen werden. Sollte denn der Tod vor mir Halt machen? Was macht mich denn im Tod besser als irgendwer von geringerem Stand? Du, mein Herr, hast mich gesegnet mit grossem Reichtum. Aber was bringt er mir in meiner Todesstunde? Oder wenn ich ihn für mich zurückhalte? Allein dein Wille, oh Gott, möge geschehen! Dein Angesicht suche ich; zum Heil, zum Trost und zum ewigen Glück meiner Seele. Aber nicht nur für mich, vielmehr auch für meine Vorfahren und alle Gläubigen. Deshalb stifte ich meinen ganzen Reichtum für ein Spital in der Stadt Bern, damit die sechs Werke der Barmherzigkeit besser erfüllt werden. Hier vor dir, mein Heiland, bezeuge ich, Anna Seilerin, diese Worte und lege mein Leben vor dir nieder.»

Während sich die Frau als Zeichen ihrer Demut und vollständigen Hingabe mit ausgestreckten Armen flach auf den Boden gelegt hatte, wurde die Klosterkirche auf einmal durch ein übernatürliches Licht erhellt und erstrahlte in mystischem Glanz. Als Geri verstohlen nach oben blickte, sah er durch die entschwundene Decke einen greifbar sternenklaren Himmel, der zunehmend durch majestätisches Licht erhellt wurde. Zuckende Blitze und Donnerschlag hörte sich wie eine unverständlich sprechende Stimme an. Drei verklärte Gestalten erschienen, die sich schliesslich als Engel in die Nähe der betenden Frau niederliessen. Einen konnte er als denselben erkennen, der Geri bereits im Vorhof entgegen getreten war.

Doch offenbar war es eine Erscheinung, die niemand sonst wahrzunehmen schien. Denn als der Choral verklungen war, passierte kurz darauf eine schleierlos gekleidete Schwester die rechte Türe unter dem Lettner und trat in die Nähe des Altars. Die betende Frau war unterdessen aufgestanden.

«Und, Schwester Anna, haben Sie sich mein Angebot überlegt?»

«Ja, geschätzte Priorin», antwortete die Seilerin, während sich die Blicke der beiden Frauen trafen. «Und ich werde dem Konvent nicht beitreten.»

«Bedaure», nahm die Priorin zur Kenntnis. «Immerhin sind Sie schon über einige Zeit hier bei uns im Klosterspital tätig und leisten wertvolle Arbeit. Gerade jetzt, in dieser dunklen Stunde der Pest …»

«Ich habe nicht die Absicht, meine Arbeit aufzugeben, glaubt mir.»

«Was hält Sie dann davon zurück? Der Orden stellte Sie unter Gottes Segen und Schutz. Hinter diesen Mauern sind Sie in Sicherheit. Hier kann Ihnen die Seuche nichts anhaben.»

«Und warum nicht?» Die Seilerin schaute der Priorin prüfend in die Augen. «Sie wissen doch genau wie ich, dass da draussen der Schwarze Tod wütet und dass er jeden verschlingt, der seinen Weg kreuzt.»

«Es ist Gottes Geissel, um uns zu züchtigen und unser ausschweifendes Leben zu bestrafen!», belehrte die Priorin überzeugt.

«Ist sie das, ja?», bezweifelte die Seilerin. «Woher sollen wir das denn so genau wissen? Wer sagt das?»

Die Fragen erfüllten den grossen Kirchenraum; das Gesicht der Priorin verfinsterte sich zusehends.

«Hüten Sie sich, die Autorität der Sancta Mater Ecclesia in Frage zu stellen», zischte die Priorin, «vor allem gerade hier, auf geweihtem Boden!»

«Ich stelle nicht die Autorität der Kirche in Frage», widersprach die Seilerin, «sehr wohl aber einige Aussagen oder Bräuche, die sich eingebürgert haben.»

«Das ist Blasphemie!»

«Blasphemie? Ich bitte Sie …», entgegnete die Seilerin unbeeindruckt. «Als Vorsteherin der Inselschwestern sollten Sie doch über gewisse Regeln und Bräuche im Bild sein, die dem Frauenkloster immer wieder zum Verhängnis geworden sind. Sie wissen, ich bin eine Bewunderin Ihrer Stifterin, Schwester Mechthild von Seedorf – Gott hab sie selig – sie hat sich nie gescheut, unermüdlich für das Recht ihres Konvents einzustehen.»

«Ich lobe Ihren Scharfsinn, werte Schwester», kriegte sich die Priorin wieder ein. «Trotzdem – und ganz unter uns: Seien Sie achtsam, dass Ihre Ansichten niemandem aus dem Predigerorden zu Ohren kommen ...»

«Ich habe keine Geheimnisse, weder vor Ihnen, geschätzte Priorin, noch vor den Predigern.» Die Seilerin erhob bestätigend ihre Augen zum Himmel und zeigte mit beiden Zeigefingern nach oben: «Gott sei mein Zeuge und mein Richter.»

Die Seilerin lief ein paar Schritte und starrte schliesslich nachdenklich an die grosse, hölzerne Eingangspforte. «Ich arbeite hier im Klosterhospital nach bestem Wissen und Gewissen und ich sehe, mit wieviel Geschick und mit welch wundersamen Händen die Schwestern hier ihrem Ruf als Heilerinnen alle Ehre machen. Ist es nicht eine Gabe Gottes? Ein Geschenk des Himmels? Oh ja, ist es! Aber warum machen wir dieses Geschenk nur reichen Pfründnern?»

«Aber, Schwester», betonte die Priorin, «Sie wissen doch, dass wir auch Arme und Pilger aufnehmen ...»

«Und ihre Ablassgelder nehmen wir gerne entgegen – oder etwa nicht?», bemerkte die Seilerin kritisch.

«Wissen Sie, Priorin, sämtliche Spitäler in unserer Umgebung ausserhalb der Klostermauern funktionieren nach dieser Ordnung: Wer Vermögen bringt, kauft sich ein und wird versorgt. Stirbt ein wohlhabender Pfründner, erbt das Spital dessen ganzen Besitz. Glauben Sie mir, ich habe genug gesehen! Wir haben vergessen, dass medizinische Versorgung ein Recht aller ist. Wollen wir denn im Kloster denselben Weg einschlagen? Wollen wir uns respektlos am Reichtum unserer Nächsten bereichern?»

Der Priorin gingen die Argumente aus. «Ich hoffe, Ihnen ist klar, dass Sie sich auf äusserst gefährlichem Gebiet bewegen …»

«Hat sich denn die ehrbare Äbtissin Hildegard von Bingen, die uns allen in vielerlei Hinsicht vorausgegangen und zum Vorbild geworden ist, nicht auch allen Widerständen und geistlichen Autoritäten gestellt? Mir ist durchaus bewusst, dass meine Worte anstössig wirken mögen. Aber der Schwarze Tod macht keinen Unterschied zwischen Mann, Frau oder einem unschuldigen Kind. Auch nicht zwischen ehrenhaft oder gemein. Oder war mein Gatte etwa kein Ehrenmann? Trotzdem verdammt die Kirche die Pest als Strafe Gottes und schirmt sich davon ab. Aber ist es nicht unsere Pflicht», betonte die Seilerin und wies mit der Hand zum Klostereingang hin, «gerade diesen Menschen da draussen zu helfen? Hungrige speisen, Durstige tränken, Fremde beherbergen, Nackte kleiden, Kranke pflegen, Gefangene besuchen – mit den sechs Werken der Barmherzigkeit tun wir Christus selbst den grössten Dienst. Das ist unser Credo!»

«Schwester Anna», warnte die Priorin, «diese Seuche ist höchst ansteckend! Sie können sie nicht besiegen! Niemand konnte es!»

«Ich werde alles in meiner Macht Stehende tun, um diese Pest zu bekämpfen – möge es mir auch das Leben kosten. Deshalb habe ich beschlossen, mein Hab und Gut aufzugeben und ein Spital zu stiften, das ewig bestehen soll.» Die Seilerin unterbrach ihren Dialog, wandte ihren Blick auf das grosse Holzkreuz und fuhr versunken fort: «Ja, ich nenne es Station 5, angelehnt an die fünf Wundmahle unseres Herrn und nach seinem Beispiel der Gnade, der Erlösung und der Heilung.»

Eine verklärte Stille liess die Worte nachhallen und wurde durch die Gegenwart der drei Engel zu einer Momentaufnahme jenseitiger Schönheit. Niemand, der anwesend gewesen wäre, hätte es auch nur annähernd gewagt, darauf irgendetwas zu sagen.

Stattdessen nahm die Seilerin selbst das Wort wieder auf und konkretisierte ihre Vision, indem sie sich entschlossen der Priorin zuwandte, die aufmerksam zu ihrer Rechten stand: «Mein Wohnhaus hier gegenüber dem Kloster und die übrigen Häuser samt allen Hofstätten, die mir da gehören, sollen künftig ein Spital nach diesem Vorbild sein, in dem jeder kranke Bernburger bis zu seiner Genesung seinen Platz finden möge. Dabei habe ich mir alles gründlich überlegt: Alle meine Anwesen werde ich sorgfältig überprüfen, Zinsen und Einkünfte für Pflege und Unterhalt ausrechnen und zusammen mit meinem Beistand in einer Verfügung unter Bezeugung des Schultheiss und des Stadtrates niederschreiben lassen.»

Erneut wurde es still, bis sich schliesslich die sichtlich gerührte Priorin mit leiser Stimme vergewissern wollte: «Sind Sie wirklich sicher, was Sie da Unglaubliches zu tun vorhaben?»

«Ich habe mein Leben vor Gott niedergelegt. Nichts und niemand wird mich dabei aufhalten.»

Die Priorin stand der Seilerin, die mit unbeirrtem Gesichtsausdruck gerade ihre Worte bekräftigt hatte, staunend gegenüber. Ihre Augen waren fokussiert und in ihrem Funkeln widerspiegelte sich ihre ganze Loyalität. Und allmählich wurde der Priorin das Ausmass dieses unerschrockenen Entschlusses bewusst, worauf sie sich bekreuzigte und verabschiedete.

«Gott sei mit Ihnen, Schwester Anna.»

DIE PATRONA

*A*us der Ferne konnte man es kaum erkennen, wenn der richtige Blickwinkel fehlte: Ein Riegelhaus, das am Waldrand stand. Vom Dorfkern aus wurde es wegen seiner geringen Grösse durch den davorliegenden Hügel und von all den laubreichen Buchen und stämmigen Tannen getarnt und lag deshalb unauffällig ausserhalb des vertrauten Blickfeldes.

Etwas weniger friedlich waren aber die Geschichten, die man darüber erzählte: So hätte seinerzeit ein wohlhabender und angesehener Mann seiner unehelichen Tochter den kleinen Landsitz vermacht. Und die Gerüchte machten immer wieder heiss die Runde, wenn einmal im Monat, meistens abends, ein verdächtiger schwarzer Wagen der Oberklasse in der Nähe abgestellt stand und ein vornehmer Herr im ominösen Haus kurz zu Besuch war. Von grosszügigem Schweigegeld war die Rede, das die wahre Identität der jungen Frau geheim halten sollte. Und es sickerte soweit nichts Handfestes von der Stätte, was in irgendeiner Form hätte Rückschlüsse ziehen lassen können. Doch allein diese wenigen

Spekulationen genügten, um alles Drumherum mit fantasie-vollen Geschichten zu bereichern. Insgeheim war es für alle der ideale Anlass, um den eigenen Abgründen ein Gesicht zu geben und damit vom eigenen, brav kaschierten Verhängnis abzulenken.

So wurde aus der beherzten Hobbygärtnerin, welche die vorteilhafte Lage am Waldrand über Jahre biologisch zu nutzen gelernt hatte, eine Kräuterhexe und ihre sporadische, aber wachsende Kundschaft zu Hexen, Konkubinen und Freiern. Erst recht wurden die Geschichten bekräftigt, und arteten sogar komplett aus, als sich eine feste Mitbewohnerin dem verrufenen Zirkel anschloss. Was bei einigen Leuten zur Gesundheit und zu besserer Lebensqualität beigetragen hatte, wurde für andere zum örtlichen Schandfleck, um den man einen möglichst grossen Bogen machte oder am liebsten schon gar nicht erst erwähnte. Und was über Jahre schweig-sam in Vergessenheit geraten war, machte schliesslich einer Geschichte Platz, die man eigentlich gar nicht hören und schon gar nicht wahrhaben wollte.

Alles begann an einem warmen Frühlingstag, als einem durch die Forsythien mit ihrer gelben Pracht, durch die ver-streuten Narzissen- und Schlüsselblumeninseln und die Felder mit üppig blühendem Löwenzahn sanft ein unver-wechselbarer Duft von Lenzfrische entgegenblies. Aus der Ferne konnte man eine feine, sinnliche Stimme hören, die sich zwischen dem fröhlichen Vogelgezwitscher wie eine Elfe aus dem Märchenwald anhörte. Wäre die Zeit just in diesem Mo-ment still gestanden, hätte man keinen Augenblick daran ge-zweifelt, dass das Paradies tatsächlich existiert.

Doch an diesem Tag verlor dieses Eden nach und nach seine Unschuld, als ein Unbekannter die Idylle betrat: Spio-nierend hatte er sich der kleinen Waldinsel, wo der ganze Zauber herrührte, genähert und lungerte lüstern hinter Baum und Strauch, wo ein junges Mädchen mit einnehmender Grazie und total unbefangen sich in ihrer ganz eigenen Welt mit Gesang und Tanz ausdrückte. Noch passierte an dieser Stelle nichts weiter. Doch lag fortan eine unangenehme Bedrohung in der Luft, die sich jedes Mal, wenn das Mädchen wieder auf ihrer Insel war, mit dem Auftreten des Spanners verstärkte, bis schliesslich jemand dem heimlichen Treiben auf die Spur kam.

«Was hast du hier zu suchen?», wisperte eine Stimme energisch. Entgeistert wandte sich der Stalker um. Jede ungeschickte Bewegung oder gar ein Fluchtversuch hätten ihn verraten. «Wenn du unbemerkt bleiben willst, dann komm hier hinter den Scheiterhaufen. Sofort!»

Niemand war zu sehen. Nur das weiterhin unbekümmert singende Mädchen. Etwas unschlüssig räumte der Spanner dennoch seinen gut getarnten Voyeurplatz und schlich vorsichtig auf einen mit Wellenblech gedeckten Holzstoss zu, der lediglich ein kleiner Steinwurf weit entfernt lag. Der Anblick einer schlicht in Jeans und Shirt gekleideten Frau um die Vierzig mit schwarzgefärbten, schulterlangen Haaren schien den gepflegten jungen Mann allerdings zu erleichtern.

«Und? Überrascht?», meinte schliesslich die Frau mit verständlicher Stimme, während sie vom Burschen von Kopf bis Fuss gemustert wurde.

«So, so», antwortete er schliesslich gehässig, «du spionierst mir nach?»

«Ich sollte wohl eher dich fragen, warum du gezielt dem Mädchen nachspionierst …»

Der Mann schaute unschuldig um sich. «Ich war zufällig in der Gegend, hatte Lust auf einen Spaziergang …»

«Oh, hör schon auf damit!», fiel sie ihm ins Wort. «Willst du mich für dumm verkaufen? Ich beobachte dich seit dem ersten Tag, als du hier aufgetaucht bist. Erst sagte ich mir

‹Naja, ist ja nur ein schlichter Wanderer, der die Gegend geniesst›. Aber dein Interesse kann unmöglich nur die Landschaft sein, oder?», setzte sie ihm hartnäckig zu und drängte ihn damit zum Geständnis. «Haargenau, immer um die gleiche Tageszeit, zufälligerweise immer gerade dann, wenn das Mädchen dort ist – ist es nicht so?»

«Pff!», prustete der Bursche gleichgültig und verdrehte dabei die Augen. «Bist du etwa ihre Mutter, oder was?»

«Nein, bin ich nicht. Aber trotzdem wirst du dich künftig von ihr fernhalten.»

«Ich habe doch gar nichts gemacht!», wies sie der Mann achselzuckend ab.

«Noch nicht», entgegnete die Frau. «Aber du begehrst sie, nicht wahr? Ja, ich sehe es in deinen Augen.»

Der Mann schüttelte mit einem ironischen Lachen den Kopf und verwarf die Arme. «Du bist verrückt!»

«Bin ich das, ja?», konterte die Frau bestimmt und blickte den jungen Mann gebieterisch mit zusammengezogenen Augen an. «Wir beide wissen haargenau, was die Wahrheit ist! Glaubst du etwa, ich hätte dich nicht heimlich onanieren sehen?»

Der sass. Vergeblich versuchte der Spanner sein Unbehagen zu verdrängen, während für einen Augenblick seine Augen rastlos umher kreisten.

«Hör mal», drängte die Frau, «ich kenne hier jeden Waldfleck, jeden noch so verborgenen Winkel wie meine eigene Tasche. Ich werde nicht zulassen, dass weder vor meinen Augen noch im Verborgenen diese Idylle mit Schande befleckt wird. Deshalb bürge ich für dieses Mädchen. Kapiert?»

«Und? Willst du zur Polizei? Nur zu! Du hast keine Beweise!», antworte der Unbekannte, plötzlich wieder gefasst und wie ausgewechselt. «Und jetzt hör du mir mal gut zu: Egal, was du von mir glaubst, denkst oder sagst – es geht dich überhaupt nichts an, okay? Du weisst nicht mal, wer ich bin. Wüsstest du's nämlich, würdest du nicht in diesem Ton mit mir reden. Weisst du, dass ich dich ohne weiteres anzeigen könnte? Und glaubst du ernsthaft, dass sie dann einer Verrückten Glauben schenken würden, die sich hier in den Wäldern herumtreibt und mit fantasievollem Geschwafel um sich wirft? Oder dann doch eher dem Sohn eines Diplomaten?» Mit einem entschlossenen, eiskalten Blick liess er die Worte erbarmungslos niederhageln wie feurige Pfeile, während er obendrauf zum diabolischen Finale ansetzte: «Aber ich bin gerne bereit, mit dir zu verhandeln. Du kommst mir etwas gefällig entgegen – sagen wir einmal im Monat – und ich werde das Mädchen in Ruhe lassen. Sie ist dir doch teuer, nicht wahr?»

Die Frau verstummte und wirkte paralysiert, während sie das glattrasierte und stoische Gesicht des jungen Mannes einprägsam zu studieren versuchte. Sie konnte es nicht fassen, dass ein Schnösel, der sie allein schon wegen des Altersunterschieds hätte respektieren sollen, sie gerade zum Gespött gemacht hatte. Mehr noch: Er war gerade im Begriff, sie zu einer Dirne zu degradieren. Einerseits unbegreiflich, auf der anderen Seite skrupellos, hatte der scheinbar harmlose Spanner den wunden Punkt der reifen, aber offenbar auch naiven Frau getroffen.

«Du musst mir aber versprechen, dass du ihr nie wieder auflauern wirst!», gab sich die Frau schliesslich geschlagen.

«Versprochen. Zufrieden?», antwortete der gewiefte Bengel mit schwörend erhobener rechten Hand, bevor er siegreich anfügte: «Und ab jetzt bestimme ich die Spielregeln: Morgen, selbe Zeit – hier, am selben Ort. Alles klar?»

*

Nya starrte konsterniert auf den grossen Holzstoss am anderen Ende des Waldrandes. Dann wanderte ihr Blick an die Stelle, die sie seit Kindheitstagen für sich als ihren heiligen Boden beansprucht hatte. Es fiel ihr schwer, sich vom soeben Gehörten, das sich bei ihr als innerer Film abspielte, zu lösen. Ihre ganze Kindheit und frühe Jugend erschienen auf einmal in einem anderen Licht. Brennende Fragen schossen ihr dabei durch den Kopf.

«Was ich am Ganzen einfach nicht verstehe: Warum bist du damit nicht zur Polizei gegangen? Warum?!»

Halona nickte, als hätte sie genau diese Frage erwartet. «Das habe ich mich in all den Jahren immer und immer wieder gefragt. Und ich hätte daran verzweifeln können. Aber damals hatte ich einfach Angst. Angst, dass man mir aufgrund meiner Vorgeschichte mit meinem Mann ohnehin nicht glauben würde. Zudem fand ich rein gar nichts über seine Identität. Und was wäre gewesen, wenn er davon Wind bekommen hätte? Es hätte doch alles nur noch schlimmer gemacht. Und im Dorf hatte man ja eh schon eine vorgefasste Meinung von mir, was es zusätzlich erschwerte …»

«Aber wenigstens meinen Eltern oder mir hättest du es doch sagen können?», hakte Nya nach.

«Die Wahrheit ist …» Halona senkte ihren Blick. «Ich konnte und wollte es nicht.»

«Das verstehe ich einfach nicht», wiederholte sich Nya und starrte ins Leere.

«Weisst du», erklärte Halona und schweifte mit den Augen erneut über das vom Nebelmeer bedeckte Tal, «als mir deine Eltern wegen der ganzen Geschichte mit meinem Mann den Kontakt verweigerten, habe ich das immer respektiert – auch wenn es mir das Herz gebrochen hat. Schliesslich habe ich dich immer auch ein bisschen als meine eigene Tochter gesehen. Du kannst dir gar nicht vorstellen, welche Freude es in mir auslöste, als du diese kleine Waldinsel für dich entdeckt hast. Dein Gesang war die schönste Melodie, die ich je gehört hatte.» Halona schaute Nya mit feuchten Augen an. «Und so hatte ich immerhin die Möglichkeit, dich wieder zu sehen und zu hören – wenn auch nur aus der Ferne. Deshalb hatte ich mir geschworen, dass ich über dir wachen würde, solange du dich auf dieser Insel aufhältst. Und genau das habe ich getan. Ich wollte, dass alles so bleiben würde, wie es immer war.»

Nya schwieg gerührt, bevor sie mit einem verstohlenen Lächeln den Kopf schüttelte und schliesslich Halona in die Augen sah. «Aber zu welchem Preis?»

Halona nickte verständnisvoll. «Gott sei Dank stellte sich knapp ein Jahr nach seinem Erscheinen hier auf der Insel heraus, dass ein mehrfach gesuchter junger Mann wegen angeblich wiederholter Belästigung und sexuellen Übergriffen an Minderjährigen verhaftet wurde.» Halona prustete erleichtert. «Und damit hatte das Grauen ein Ende.»

«Das», schluchzte Nya und konnte ihre Tränen nicht länger zurückhalten, «hast du alles wegen mir über dich ergehen lassen?»

«Es ist nicht deine Schuld», besänftigte Halona. «Dich hier singen zu hören und zu spüren, dass es mehr gibt als alles Unrecht im Leben, wiegt alles wieder auf. Du hast eine ganz besondere Gabe, Elenya, die sich in deinem Gesang auf wundersame Weise manifestiert – hüte sie.» Halona drückte Nya sanft an sich und schaute ihr dabei in die Augen. «Hüte sie! Und sie wird Gottes Geschenk an eine gebrochene Welt.»

GASTARBEITER

So echt sich alles anfühlte, so fest sich Geri als Teil des Geschehens verstand und sich komplett darin vergass, so wenig konnte er selbst auf das jeweilige Szenario in irgend einer Weise Einfluss nehmen. Für die Protagonisten war er unsichtbar – ja, schlicht inexistent.

«Weisst du», erklärte der Engel, Geris Gedanken lesend, «was geschehen ist, ist geschehen. Du kannst nichts daran ändern.»

Geri schaute den Engel mit fragenden Augen an. «Aber warum sehe und erlebe ich dann etwas, das vor hunderten von Jahren bereits passiert ist?»

«In der Ewigkeit ist immer heute», unterwies ihn der Engel. «Was du als Vergangenes siehst, ist sozusagen archiviert. Es existiert als bleibende Erinnerung, losgelöst von Raum und Zeit. Aber wenn du die zweite Türe passierst, wirst du es besser verstehen.»

Geri hatte seine Hand bereits an der Klinke, um damit die benannte Tür zu öffnen. Dabei erschienen vor seinem inneren

Auge nochmals all die eindringlichen Bilder, die er gesehen und gewissermassen hautnah erlebt hatte. Sie hatten ihre Spuren hinterlassen und Geri tiefe seelische und geistliche Einblicke gewährt, die ihn nicht mehr loszulassen, vielmehr auf einen bevorstehenden Aufbruch vorzubereiten schienen. So wandte er sich noch einmal an den Engel, der ihm ermutigend zunickte, ehe er eintrat.

«Aber, das ist doch …» Geri schaute verwundert um sich und lächelte verlegen. «Was soll ich hier im Eingangsbereich zu meinem Estrich?»

«Das ist nicht nur dein Weg in den Estrich, Gerhard, sondern gleichzeitig der Anfang einer Geschichte, die du entscheidend mitgeprägt hast», gab der Engel zurück. «Erkennst du diese Stimmen?»

Geri blickte zurück und horchte auf. Tatsächlich waren vis-à-vis hinter verschlossener Tür Stimmen in italienischer Sprache hörbar. Und da dämmerte es ihm wie der Morgen. «Eh, natürlich! Beppe, Gino, Totò, Mario, Enzo, Leo – wie konnte ich mich bloss nicht auf Anhieb daran erinnern …»

Etwas nostalgisch begutachtete er nun den breiten Korridor, der lediglich ein Teil eines grossen, alten Riegelhauses war. Als ehemaliges Schulhaus war es einst der pädagogische Stolz des Dorfes, musste sich aber irgendwann im Lauf der Zeit der längst überholten Einrichtung und den kaum mehr überschaubaren, überfälligen Sanierungsarbeiten ergeben und einem zeitkonformen Neubau den Stab übergeben. Eine Wohnung auf zwei Etagen blieb dabei erhalten und wurde fortwährend bewohnt, während das restliche Gebäude leer stehend zum Geisterhaus zu mutieren drohte. Deshalb wurde es unter Denkmalschutz zweckmässig umfunktioniert und diente fortan als Lagerhaus für Wegmeister wie auch als periodischer Militärstützpunkt.

Und schon wähnte sich Geri in einem Tagtraum, in dem sich sein ganzes Leben in Sekundenschnelle abspielte. Ausgerechnet hier, in diesem Haus, wo er sich mit seiner Rosmarie niedergelassen hatte, um eine Familie grosszuziehen, hatte ihn das Schicksal hart geprüft: Erst gerade hatte er sich als belastbarer und überaus geschätzter Baumaschinenführer bewährt, als ein chronisches Asthma seine erfolgreiche Berufslaufbahn beendete. Weiterhin ein nachkriegszeitliches Leben zu führen, das hauptsächlich darin bestand, unermüdlich zu schuften und Neues aufzubauen, hätten für ihn auf der staubigen und anstrengenden Baustelle den frühzeitigen Tod bedeutet. Doch selbst gelegentliche Atemnot und Inhalationsgerät konnten Geri den Mut nicht rauben. Mut, der ihn zum leidenschaftlichen Selbstversorger und Lebenskünstler formte: Der Garten blühte, und zu den Katzen, Hühnern und Kaninchen gesellten sich Kanarienvögel, Fasane, Wachteln und ein Pfau. Daneben wurde er mit dem Service der eigenen Dörranlage, dem Anfertigen von Flechtkörben und anderen handwerklichen Dienstleistungen zur beliebten Adresse im Dorf.

Doch auf einmal waren die Italiener da, um als Gastarbeiter der Schweiz zum wirtschaftlichen Aufschwung zu verhelfen. Eine Sippe, die man nicht überall gleich gut aufgenommen hatte. Besonders diejenigen aus dem Süden hatten vor allem in den Städten den Unmut von verängstigten Bürgern auf sich gezogen und drohten durch eine politische Aktion sogar verbannt zu werden. Aber Geri, selbst Patriot mit abverdientem Wehrdienst, mehrfach ausgezeichneter Schütze und Mitglied im Jodlerchor, machte sich nichts aus diesem Wirbel. Nicht zuletzt, weil ausgerechnet unter demselben Dach sechs junge Burschen aus dem südlichen Stiefelteil saisonal einquartiert werden sollten. Warum auch hätte er sich beschweren sollen, wenn er sah, unter welchen Bedingungen sie hätten wohnen müssen.

Der Anblick, der sich nun erneut vor seinen Augen durch diesen finsteren, von einer Glühbirne kaum ausreichend beleuchteten Gang offenbarte, holten ihn gedanklich in eine Realität, deren Ausmass er noch nicht verstanden hatte. Oft hatte Geri hurtig den Eingangsbereich passiert, um umgehend die breite Holztreppe hinauf zum Estrich zu nehmen, ohne sich gross darüber Gedanken zu machen, wer hier unter welchen Bedingungen wohnte: Sechs Leute in ein einziges Zimmer gepfercht, das sie einigermassen bewohnbar, immerhin als Schlafplatz eingerichtet hatten. Im Korridor stand gegenüber einem alten, aber funktionstüchtigen elektrischen Kochherd ein Waschtrog mit Abfluss, doch ohne fliessendes Wasser. Die Toilette und ein weiterer Waschtrog mit fliessendem Wasser befand sich ein Stockwerk tiefer im Parterre, das man allerdings nur über die Aussentreppe erreichte. Eine Duschmöglichkeit gab es nur in einem Umkleideraum der Baufirma, der sich in der grossen Baracke nebenan befand.

«Für viele waren sie einfach fremd und laut, für manche sogar untragbar», unterbrach der Engel Geris Gedankenreise. «Einige kamen und gingen wieder, andere blieben. Viele träumten von einer besseren Welt, fern von einem bittersüssen Zuhause. Aber höre selbst, was sie zu sagen haben.»

«Aber ich kann kaum ein Wort italienisch, wie soll ich da etwas verstehen?», entgegnete Geri mit einem Achselzucken.

«Versuche, konzentriert und bewusst zuzuhören», riet der Engel und zwinkerte Geri vertraulich zu, «du wirst mehr verstehen, als du glaubst.»

Kaum hatte er ausgesprochen, hörte man Schritte die äussere Holztreppe heraufkommen. Die quietschende Eingangstüre öffnete sich und ein Mann Mitte Zwanzig trat ein. Sein auffällig glänzendes, pechschwarzes Haar hatte er zu einer Seitenscheitel gekämmt, während die dunklen Augen streng aus seinem schmalen Gesicht mit kräftigem Kinn und markanter Nase blickten. Ein angenehm frischer Geruch von Waschseife verbreitete sich und übertünchte den muffigen Geruch von altem Holz, kombiniert mit schlecht belüfteten, von Zigarettenrauch verhangenen Räumen und typisch mediterranem Küchenduft.

«Leo, *porca miseria!* Das hat jetzt aber lange gedauert, Mann!»

Gino, der am näheren Ende des zweckmässig angepassten Festbanktisches in der Raummitte sass, hatte seinen Kameraden als erster erblickt, während er gerade mit Enzo in eine Scopa-Partie involviert war. Mario und Beppe, die am anderen Ende des Tisches vor ihren leergegessenen Pasta-Tellern hockten, kauten an rohen Fenchelblättern herum und lauschten einem italienischen Radiosender unter rauschendem Empfang.

«Wo zum Henker warst du solange?», fragte Enzo, gerade die Karten mischend und austeilend. «Bist du etwa der hübschen Blondine begegnet?»

«Welche Blondine denn?», gestikulierte Leo mit aneinander gedrückten Fingerspitzen.

«Aber doch nicht etwa *la bella bionda* vom Stutz da oben?», horchte Totò auf. Er hatte sich auf der alten Polsterbank in der rechten, vorderen Raumecke entspannt hingelegt, zog wie der Baron elegant an seiner Zigarette und starrte nun verträumt an die Decke. «*Santa pupa,* ist das vielleicht ein Schuss! Ich träume nachts bereits von ihr …»

«Pha, vergiss sie – *non fa per te!*», winkte Leo ab, «Damit kriegst du nur Probleme. Du weisst ja, wie das hier läuft: Wir sind nur die Tschingg.»

«Ach komm schon», musst du immer gleich *catenaccio* machen?», ironisierte Beppe.

«Typisch Interista – was hast du denn erwartet?», funkte Enzo dazwischen, während er konzentriert eine Karte ausspielte.

«Pff», prustete Gino und fuchtelte kreisbewegend mit der Hand, «es spricht der Milanista, ausgerechnet du!»

«*Senti chi parla!*», griff Totò aufständisch ein und richtete sich auf. «Als Juventino wäre ich ganz schön still …»

Gino schmiss genervt die Karten vor sich hin und stützte sich mit verschränkten Armen am Tisch ab. «Ach, erzähl mal: Wer ist nochmal Rekordmeister?»

«Jaja, Rekordmeister …» Totò verwarf erst kopfschüttelnd die Hände, klatschte sie anschliessend auf die Oberschenkel und stand von der Polsterbank auf, worauf er seinen Worten unter energischer Gestikulation Ausdruck verlieh: «Rekordmeister wovon denn? Etwa die Kartontitel vom *tabacchino?* Wen interessieren diese Titel schon ausser euch selbst? Europaweit und international null Titel! Zero! Rechne mal schön nach …»

«*Ragazzi, basta!*», schrie Leo dazwischen – wohl wissend, wie solche Dispute gut und gerne in endlose Grabenkriege ausarten konnten. Und wie er ihre Aufmerksamkeit hatte, fing er an, ihnen ins Gewissen zu reden: «*Eh che cazzo!* Ist das euer Ernst? Habt ihr es immer noch nicht kapiert? Schaut euch mal um …»

Mario schaltete das Radio aus, worauf sich die temperamentvollen Herren wortlos ins Gesicht schauten und ertappt ihr Haupt senkten.

«Genau», schärfte ihnen Leo ein, «wir sind hier allein in einem fremden Land; wir haben nur uns und diese vier Wände! Und trotzdem haben wir nichts Besseres zu tun als unsere fussballerischen Klubrivalitäten auszuleben? *Ma dai* …» Leo verwarf desillusioniert die Arme. «Wir sind 1968 Europameister und 1970 Vizeweltmeister geworden – und als was? Inter? Milan? Juve? Oder habt ihr das Jahrhundertspiel unserer Squadra Azzurra im Halbfinale gegen die Mannschaft bereits vergessen?»

Leos Worte hatten die Wirkung einer züchtenden Peitsche, die für einen Moment jegliche Form von Impulsivität von den Betroffenen ausgetrieben hatte.

«Leo hat recht, *ragazzi*», meldete sich Mario zu Wort. Er, der ruhigste von allen, derjenige, der meistens nur dann den Mund öffnete, wenn es nötig war. «Ich werde nie mehr vergessen, wie wir alle bis in alle Nacht hinein hier an diesem Tisch klebten und beim Ausgleich von Schnellinger dem Radioreporter am liebsten an den Hals gesprungen wären. Und dann die Verlängerung – *mio Dio* …» Mario schüttelte den Kopf und schlug mit der Faust auf den Tisch. «*Ragà*, ich bin Juventino, aber spätestens beim Siegestor von Rivera musste doch jedem Italiener – egal, ob zuhause oder fernab – klar gewesen sein, dass der eigene Klub wertlos ist. Jedenfalls habe ich, seit ich hierhergekommen bin, eine ganz neue Beziehung zur *nazionale* entwickelt, eine, die mich mit meinem Vaterland auf besondere Weise verbindet.»

«*Bravo Mario, sempre forza Italia!*», applaudierte Gino.

«*Grande Mario!*», doppelte Totò nach. «Zum Glück können wir bald wieder nach Hause, es wird langsam ungemütlich kalt hier. Und überhaupt: Ich überlege es mir ernsthaft, ob ich nächstes Jahr …»

«Sag nicht, du willst nicht mehr kommen!», prüfte Beppe seinen Mitbewohner.

«Unsere Bewilligungen laufen ab, schon vergessen?», versetzte Totò mit einem Achselzucken.

«*E allora?*»

«Ich packe es einfach nicht hier», klagte Totò, während er die Hände hinter dem Kopf verschränkte und sich wieder auf das Kanapee setzte. «Ich vermisse meine Familie, das Meer, der Duft von Zitronen, Orangen, Mandarinen und Melonen – ja, sogar der Gestank vom Fischmarkt ist mir mittlerweile angenehm.»

«Stell dir vor», zog Enzo mit, «ich würde sogar Turi ertragen – die wohl grösste Nervensäge, die in unserem Dorf herumläuft.»

«Ach kommt schon, *basta!* Werdet erwachsen!», widersprach Beppe resolut. «Was wollt ihr in unserer vernachlässigten Region? *Mafia maledetta!*»

Wieder herrschte eine nachdenkliche Ruhe, bevor Leo erneut das Wort ergriff: «Ich denke, ich werde noch eine Weile hier bleiben …»

«Hier?», wandte Totò mit grossen Augen ein. «Wie lange willst du denn noch in diesem Loch bleiben?»

«Hab vorhin lange mit dem *padrone* gesprochen. Er möchte mich unbedingt behalten. Ich habe ihm gesagt, dass ich nur noch mit Frau und Kind zurückkehren werde.»

Totò drückte als Geste der Verzweiflung wortlos die Hände aneinander und verdrehte dazu die Augen.

«*Cavolo!*», raunte Gino vor sich hin, «du hast aber hoch gepokert …»

«Hoch gepokert? Gino», hielt Leo energisch entgegen, «ich habe eine Frau und einen einjährigen Sohn, den ich noch kaum zu Gesicht bekommen habe, zurückgelassen für diese Scheisse hier! *Ecco,* das war hoch gepokert!»

«Und wie willst du das anstellen?», trat Enzo dazwischen. «Gino hat Recht! Du weisst ja, hier kriegst du nichts ohne Schweiss! Und als Tschingg erst recht nicht. Sie werden dich ruinieren.»

«Ruinieren, genau», bestätigte Leo mit einem sarkastischen Nicken. «Und wie bitteschön soll ich unten bei uns eine Familie ernähren? Soll ich es wie vorher machen, indem ich im Kofferraum versteckt zur Arbeit fuhr, den läppischen Tages-

lohn nach Hause brachte und von Papà als Dank windel-
weich geprügelt wurde, weil ich zu spät zum Abendessen
kam?» Leos Augen glühten vor Aufregung. «Nein, ich will
ein besseres Leben für meine Familie! Es gibt auch liebe Leute
hier, solche, die einem wirklich helfen wollen. Es ist einfach
eine andere Mentalität als unsere und es gelten in gewissen
Bereichen andere Regeln. Aber ich habe mich entschieden,
definitiv hierher auszuwandern oder zumindest so lange zu
bleiben, bis ich unten bei uns ein eigenes Haus gebaut habe.»

«Das wird aber ein paar Jährchen dauern, Leo», rief ihm
Totò unsanft ins Gedächtnis.

«Und?»

«Ja, und?», drängte Totò.

«Ernsthaft», fuhr Mario aus der zweiten Reihe bedachtsam
dazwischen, «wie willst du deinen Sohn grossziehen in einem
Land, das ihm und seiner Natur fremd ist?»

«*Giusto!*», bestärkte Gino zustimmend. «Willst du deinen
Sohn in die Hände eines Landes geben, das dich nur aus-
nutzt?»

«*Ma non dite stronzate!*», hielt Leo seinen Landsleuten vehe-
ment entgegen. «Das dauert doch nicht ewig! Nur solange,
bis ich mein Haus gebaut und unten einen Job habe. Und
überhaupt: Habt ihr schon mal *Jerry* dabei zugesehen, wie er
mit den täglich vorbeiziehenden Leuten aus der Pflegeanstalt
da oben umgeht? Habt ihr auf seine Geduld und Herzlichkeit
geachtet? Und mal ganz ehrlich: Wenn er nicht gewesen
wäre, hätten wir so manches hier schon gar nicht. Ganz abge-
sehen von seiner immerwährenden Freundlichkeit, seinem
Humor und der Aufrichtigkeit uns gegenüber – warum sollte
ich nicht gerade ihm vertrauen?» Leo blickte abwesend in die
Runde und nickte vor sich hin. «Ja, er wird der perfekte *nonno*
für meinen Sohn sein …»

«Mein Bub …», unterbrach Geri die Diskussion und verliess schleichend den Schauplatz, während er zurück in den Gang schritt. Betroffen lief er zum Ausgang und stützte sich draussen mit beiden Armen auf das massive Holzgeländer der Laube, während er in den klaren Nachthimmel blickte.

«Er war wirklich ein besonderer Junge. Einerseits total eingeschüchtert, andererseits verspielt und lebenslustig, wenn es das Umfeld zuliess.» Geri lächelte gerührt vor sich hin. «Durch ihn lernte ich die Rockmusik verstehen, auch wenn ich selber nie ein Freund davon wurde. Mein Jüngster wurde sogar eifersüchtig, dass ich einem Fremdling mehr Aufmerksamkeit und Zeit schenkte als meinen eigenen Grosskindern. Verrückt, nicht?» Geri suchte das Gesicht des Engels und nahm nachdenklich auf der Holzbank links neben dem Eingang Platz. «Vielleicht hatte er damit sogar recht. Aber ich konnte nicht zulassen, dass dieser sensible Knabe emotional ständig unter die Räder kam.»

Der Engel setzte sich neben Geri. «Du ahnst gar nicht, was du damit bewirkt hast.»

«Oh doch! Nichts als Ärger hat es mir gebracht. Die Eifersüchtelei der eigenen Kinder und eine ansteigende Missgunst seitens seiner Eltern, weil er nur noch bei mir sein wollte und obendrauf in ihren Augen zu schweizerisch wurde …»

«Gerhard, du hast diesem Jungen ein Leben ermöglicht, das ohne dich ein Alptraum gewesen wäre. Und gleichzeitig hat er in dir etwas geweckt, das du Jahre zuvor in deiner Verbitterung verloren hattest.»

Geri senkte den Kopf und schlug die Hände vors Gesicht.

«Ja, ganz genau», bestätigte der Engel Geris Gedanken.

«Mein Glaube …», erwiderte Geri mit einem leichten Seufzer, nachdem er die Hände vom Gesicht gezogen hatte. «Ich wäre ja ein Heuchler, wenn ich sagen würde, dass ich immer gläubig war. Offen gesagt – und mittlerweile weiss ich, dass ich sowieso nichts verheimlichen kann – habe ich Gott immer gegrollt, dass er unser erstes Kind mit einer Fehlgeburt bestraft hat. Was hat dieses Kind denn verbrochen, dass es nicht leben durfte? Was hätte ich alles dafür gegeben, dass ich es hätte heranwachsen sehen …»

«Das ist eine der grossen Fragen, die zum Mysterium des Lebens gehören», sprach der Engel pragmatisch. «Und damit stehst du vor der dritten und letzten Türe.»

VERSCHOLLENE GESCHICHTEN

Irgendwie fiel es Nya äusserst schwer, sich von Halona zu trennen, nachdem sie Neues über ihre frühe Kindheit in Erfahrung gebracht hatte. Noch so viel mehr hätte sie Halona fragen wollen. Und dennoch spürte sie, dass es vorerst genug war. Die beiden hatten sich zum Abschied innig umarmt, wie es sonst nur Mutter und Tochter tun, um danach wieder getrennte Wege zu gehen. Zumindest hatte Halona signalisiert, dass sie künftig nicht wieder auf der Insel erscheinen würde. Aber war es unter all diesen Umständen überhaupt noch dasselbe, dorthin zu gehen?

Das Ganze liess Nya nicht mehr los und sie wusste, dass sie ihre Mutter mit dieser verschollenen Geschichte konfrontieren musste. Zuviel stand auf dem Spiel, als dass sie es einfach unter den Teppich hätte kehren können und so tun, als wäre über all die Jahre nichts gewesen. Ihre Insel war immer ein Ort der Zuflucht, der inneren Entfaltung und Freiheit. Dass hierfür jemand einen teuren Preis bezahlt hatte, stellte die ganze Geschichte allerdings auf eine ganz andere Ebene.

Tatsächlich standen die Zeichen für eine ausgedehnte Unterhaltung günstig, als sich Nya kurz nach zwölf dankbar an den Mittagstisch gesetzt hatte und im Begriff war, die Mahlzeit zusammen mit ihrer gelassen wirkenden Mutter zu teilen.

«Ach, Mama, was würde ich ohne dich und deine Kochkünste machen? Wie das wieder duftet – herrlich!»

«Für dich immer wieder gern», blinzelte Mutter Mädy ihrer Tochter zu.

«Nächste Woche bin ich dann wieder mit Kochen dran.»

«Was? Hast du nächste Woche schon wieder Nachtdienst?» Mädy spickte kurz auf dem Dienstplan am Kühlschrank. «Tatsächlich», bestätigte sie und setzte sich mit einem gefüllten Wasserkrug an den Tisch. «Und? Wie war es heute auf der Insel?»

Nya erstaunte die Frage. Zu ihrer Mutter hatte sie zwar eine sehr gute Beziehung und genoss eine entsprechend offene Gesprächskultur, doch die Insel war einer derjenigen Bereiche, der selten bis nie Anlass eines Gesprächs wurde. Das Thema Musik war für die Eltern bekanntlich ja bereits während der Schulzeit vom Tisch. Doch was die Eltern unter Musikmachen verstanden, nämlich ein Privileg von Glücklichen und Auserwählten mit den richtigen Beziehungen, sah Nya lediglich als ein unzulängliches und oberflächliches Bild. Deshalb folgte sie musikalisch leise ihrem eigenen Stern; für sie war es mehr als Ruhm und Ehre. Und das immer wieder zu erklären, wurde ihr irgendwann zu anstrengend und endete schliesslich, als Nya ihre berufliche Laufbahn in der Pflege begann. Somit wirkten ihre Inselaufenthalte nach aussen etwa als nostalgischer Teil ihrer Kindheit, während sie in Wirklichkeit immer als musikalische Intimsphäre galt.

«Ich hatte heute eine sehr interessante Begegnung», antwortete Nya flüchtig, während sie etwas Kartoffelgratin aus der Glasform schöpfte. «Mama», lenkte sie darauf ein, «hast du oder Papa euch eigentlich nie Sorgen darüber gemacht, dass ich dort oben ganz allein war?»

«Liebste, du warst zwölf, schon fast dreizehn», erklärte Mädy leichthin. «Alle Kinder in unserem kleinen Dorf sind sorglos unter der Aufsicht der älteren Geschwister oder Kameraden aufgewachsen.» Mädy starrte nachdenklich aus dem Fenster. «Leider haben sich inzwischen die Zeiten geändert. Heute würde ich mir wohl auch Sorgen machen …»

«Was war das denn für eine Begegnung?», griff Mädy Nyas flüchtige Antwort auf. «Etwa einer dieser seltenen, verirrten Wandervögel?»

«Könnte man so sagen, ja.» Nya schaute auf ihren Teller, während sie mit der Gabel am Gratin herumstocherte. «Sie sagte, sie heisse Lilli. Oder besser gesagt: Halona.»

«Oh mein Gott …» Mädy legte ihr Besteck ab und hielt ihren Kopf zwischen ihren Händen. «Halona … Dieses Unrecht wird wohl für immer an mir haften.»

Nya horchte überrascht auf. «Unrecht?»

«Ja», bestätigte Mädy kleinlaut. «Ich habe es dir immer verschwiegen, weil ich hoffte, irgendwann würdest du sowieso nicht mehr nach diesen Geschichten fragen.»

Nya legte ihr Besteck ebenfalls hin. «Gibt es denn etwas, das ich neben den bunten Dorfgeschichten über Tenn-Vreni noch nicht weiss?»

«Du weisst eine Menge nicht, mein Kind …»

«Ich denke, was ich heute Morgen gehört habe, reicht fürs Erste.»

Mädy sah Nya mit grossen Augen an. «Dann nehme ich an, sie hat dir erzählt, dass sie dein Kindermädchen war?»

«Genau das hat sie. Warum hast du mir nie davon erzählt?», drängte Nya. «Was ist da passiert?»

«Ach, Halona», seufzte Mädy und starrte wieder aus dem Fenster, während sich ihre Mundwinkel zu einem nostalgischen Lächeln verzogen. «Sie war wundervoll, geradezu ein Engel. Eine dieser zarten Seelen, die diese kranke Welt eigentlich gar nicht verdient … und dennoch so dringend braucht.» Mädys Stimme wurde auf einmal dünn und zerbrechlich. «Ach, ich schäme mich so, dir das jetzt alles sagen zu müssen …»

«Mama, du brauchst dich doch nicht zu schämen!», ermutigte Nya ihre Mutter. «Wir haben bereits vieles zusammen durchgestanden, die dunklen Jahre des Kummers überwunden. Komm, ich möchte einfach die Wahrheit kennen.»

«Ha, Wahrheit», erwiderte Mädy ernüchtert. «An dieser Geschichte wurde so viel herumgeschraubt, gedreht und gebügelt, dass es fast unmöglich ist, überhaupt jemals die Tatsachen zu kennen.»

«Erzähl mir einfach, wie du es erlebt hast.»

Mädy lehnte sich in den Stuhl zurück, fasste sich an die Wangen und blickte gedankenverloren an die Decke. «Wenn ich heute daran denke, frage ich mich, was Halona alles durchgemacht haben muss. Welch gemeiner und hinterhältiger Mann sie doch hatte, der ihre Gutmütigkeit und kindliche Naivität bis aufs Äusserste ausnutzte, sie betrog und womöglich gar schlug.» Mädy schüttelte den Kopf und verdrehte dabei die Augen. Schliesslich lehnte sie sich wieder nach vorne und platzierte nachdrücklich die Handflächen auf den Tisch. «Und wir haben tatenlos weggeschaut. Verstehst du? Einfach weggeschaut!» Mädy konnte daraufhin ihre Tränen nicht mehr zurückhalten.

«Aber dann», fuhr Mädy entschlossen fort, «wurde plötzlich alles anders. Was genau vorgefallen ist, weiss niemand. Ich erinnere mich nur, dass ich nichts, aber auch gar nichts mit irgendwelcher Hexerei, Teufelei oder mit schwarzer Magie zu tun haben wollte. Vor allem aber wollte ich dich und Timios vom Ganzen schützen. Nicht zuletzt, weil … ach, du weisst schon … es war schrecklich!»

Nya merkte, dass ihre Mutter mit der Vergangenheit kämpfte und damit an ihre Grenzen stiess. So beugte sie sich nach vorne und griff tröstend nach ihren Händen. «Ist schon gut, Mama. Es ist vorbei.»

«Und deshalb», antwortete Mädy wieder gefasst, «kam es zum Bruch zwischen Halona und mir. Kurz danach ist sie ins Tenn gezogen und seither haben wir uns zwar aus der Ferne gesehen, uns aber nie wieder angenähert.»

Als eine tragische, endgültige Realität schlugen sich Mädys Worte nieder. Mutter und Tochter schauten sich melancholisch in die Augen, während von ihrer Mahlzeit noch kaum ein Happen gekostet war. Doch dieser Mittag schien einen anderen Hunger stillen zu wollen, den Drang nach der Wahrheit.

«Es liegt doch auf der Hand», ergriff Nya wieder entschlossen das Wort, «dass ihr euch alle von Halonas Mann habt blenden lassen – zumal es noch ein Bekannter von Papa war! Hand aufs Herz, Mama: Denkst du wirklich, eine solch zarte Seele, wie Halona sie ist, würde sich plötzlich niederträchtigem Schadenzauber verschreiben?»

Nyas Worte waren von derartigem Scharfsinn geprägt, dass Mädy keine Antwort darauf hatte. Und es war, als würde sich um all die faktischen Umrisse langsam dicht verhangener Nebel lösen.

«Wusstest du übrigens, dass Halona unfruchtbar ist?»

«Unfruchtbar?» Mädy schaute Nya perplex an. «Aber ihr Mann hat uns doch allen erzählt, sie hätte in der Frühschwangerschaft ein Kind verloren …»

«Ja, weil er darauf versessen war, ein Kind von ihr zu kriegen, sich aber herausstellte, dass sie unfruchtbar war», erklärte Nya und lehnte sich in den Stuhl zurück. «Vor allem: warum sollte denn ausgerechnet der Mann so etwas ausplaudern? Etwas unsensibel, findest du nicht?»

Mädy schüttelte den Kopf. «Das wird ja immer besser ...»

«Mama», versuchte Nya zu besänftigen, nachdem sie merkte, was ihre Worte bei ihrer Mutter bewirkt hatten, «glaub mir, ihr beide hättet einander viel, vor allem sehr viel Klärendes zu erzählen.»

«Wie denn?», warf Mädy ratlos mit einem Achselzucken ein. «Niemand hat sich seither ins Tenn gewagt. Selbst wenn die Geschichten nur zum Teil stimmen sollten ...» Mädy verdrehte verzweifelt die Augen. «Kannst du dir den Dorftratsch vorstellen?»

«Mama», lenkte Nya überzeugt ein, «sie erwartet dich. Sie hat deine Entscheidung damals respektiert. Und nach allem, was man ihr an Unrecht angetan hat, wäre es da nicht an uns, über den eigenen Schatten zu springen? Sie hat mehr verdient als diesen erbärmlichen Ruf als Tenn-Vreni.» Nya kniff entschlossen ihre Augen zusammen. «Wenn die Dorfleute reden wollen, so mögen sie weiterhin reden. Das tun sie so oder so. Und wenn du tief in dir die Wahrheit kennst, kann dir das Geschwätz doch ohnehin egal sein.»

Mädy schaute ihre Tochter voller Bewunderung an. «Was bist du bloss für ein weises, goldenes Kind. Ich bin so unendlich stolz auf dich! Wie schaffst du es nur immer wieder, das Gute im Menschen zu erkennen und dieses unvergleichliche Gespür für die Wahrheit zu haben?»

«‹Die Wahrheit ist nicht immer der einfache Weg, aber am Ende lohnt er sich.› – das hast du mich gelehrt, Mama». Und im Fall von Halona: Würdest du, nachdem man dir so viel Leid zugefügt hat, dich verleumdet und in ein völlig verdrehtes Licht gestellt hat, nicht wegziehen wollen?»

«Eben, genau das überrascht mich», antwortete Mädy und rieb sich nachdenklich das Kinn. «Ihre Mitbewohnerin ist ja, zumindest soweit ich mal gehört habe, schon seit geraumer Zeit wegen des Getratsches ausgezogen.»

«Sie schaffte es nicht. Wollte es nicht», klärte Nya. «Für sie gab es anscheinend etwas Wichtigeres als ihren Ruf …»

Mädy schaute Nya wie aus einem Schlummer erwachend überrascht an. «Du?»

Nya nickte.

«Aber warum? Sie hatte doch gar keine Möglichkeit mehr, dich überhaupt zu sehen …»

«Das stimmt», bezeugte Nya und blickte in die fragenden Augen ihrer Mutter. «Und das muss eine schwierige Zeit für sie gewesen sein. Denn sie meinte, in mir ein Stückweit auch die eigene Tochter zu sehen, die sie selbst nie haben würde. Sie schaffte es deshalb nicht fortzuziehen, auch wenn sie mich nur noch aus der Ferne sah. Und von dem Moment an, als sie mich auf der Insel singend entdeckte, übernahm sie insgeheim die Rolle einer Patrona.»

«Eine Beschützerin? Wovor denn?» Mädy konnte sich ein verlegenes Grinsen nicht verkneifen. «Moment mal, doch nicht etwa der ominöse Spanner? Gütiger Himmel …» Mädy erstarrte kurz, schüttelte daraufhin den Kopf und sprach versonnen vor sich hin: «Seine Identität wurde nie bekannt. Man kam zum Schluss, dass es sich um einen jungen Mann mit besonderen Beziehungen zu höheren Gewalten handeln musste. Die Geschichten, die kursierten, waren voller Ungereimtheiten und stützten sich hauptsächlich auf Mutmassungen. Zudem kamen die Stimmen von weit her, jenseits von Aare und Emme. Deshalb verschwendete man in unserer Gegend auch keinen weiteren Gedanken mehr daran.»

«Das bestätigt und erklärt so einiges», bemerkte Nya. «Zumindest ich hätte in all den Jahren in unseren Breitengraden nie etwas davon vernommen. Und trotzdem», fügte sie an und erhob sich vom Tisch.

Mädy schaute Nya verdutzt hinterher. «Was heisst da ‹und trotzdem›?»

«Nun», antwortete Nya mit zugewandtem Rücken, während sie eine Mikrowellendose hervorgekramt hatte, «sollte stimmen, was Halona mir erzählt hat, dann wäre die Insel da oben weitaus mehr als ein schlichter Ort der Idylle.»

«Was erzählst du denn da?»

«Ich spreche in Rätseln, bitte entschuldige», beruhigte Nya ihre Mutter und legte ihren Arm auf Mädys Schulter. «Ich habe Halona versprochen, dass sie dir diese ganze Geschichte gerne selbst erzählt.»

DIE DRITTE TÜRE

Zum dritten Mal stand Geri nun in der vertrauten Vorhalle, die ihm bereits durch die Türen linker- und rechterhand den Zugang in erhellende Geschehnisse verschafft hatte. Die nun verbleibende Türe in der Mitte war die letzte Erfahrung, die noch offenstand. Geri schaute die Türe an: Es war eine alte, einflüglige Rundbogentüre aus massivem, natürlich verwittertem Holz. Zwei Kerzen, die auf kunstvoll gefertigten Wandhaltern links und rechts seitlich der Türe angebracht waren, beleuchteten einladend den Eingang. Doch im Gegensatz zu den beiden anderen Türen, die jeweils vor seinem Eintritt einen Spalt offenstanden, war diese hier geschlossen.

«Die Tür ist offen, du musst sie selber aufstossen», antizipierte der Engel, einmal mehr mit perfektem Timing.

Geri fasste Mut, schritt langsam auf die Türe zu, streckte ehrfürchtig seine Hand aus und fuhr bedächtig über den eisernen Türring.

«Hab keine Angst, Gerhard, und lass dem Zweifel keinen Raum. Es wird alles gut.»

Geri wandte sich um und schaute den Engel an.

«Ich weiss, du hast dich an mich und meine Gegenwart gewöhnt. Aber hier wirst du nun allein durchgehen müssen. Der Herr sei mit dir.»

Nun wurde Geri bewusst, wovor er wirklich stand. Zurück konnte er nicht mehr, genauso wenig konnte er auf irgendwelche Weise ausweichen, weil die beiden seitlichen Türen inzwischen zugemauert waren. Das Einzige, was ihm noch blieb, war der Gang durch diese eine Tür ins grosse Unbekannte. So fasste er seinen ganzen Mut zusammen und drückte leicht mit der Hand auf den schweren Türring, worauf sich die Türe von selbst öffnete.

Geri trat ein und lief ein paar Schritte. Es war stockfinster. Jegliches Licht wurde durch eine unnatürliche Dunkelheit absorbiert, wodurch Geri jede Empfindung von Schwerkraft verlor. Raum und Zeit lösten sich im Nichts auf. Und am empfundenen Tiefpunkt der Isolation hätte Geri am liebsten losgeschrien, brachte aber keinen Ton heraus. Stattdessen wurde er von immer deutlich werdenden Stimmen und klarer erscheinenden Bildern umgeben. Prägende Ereignisse seines Lebens spielten sich in immer wiederkehrendem Zyklus ab und bekräftigten damit die Vollendung des Daseins. Und alles ergab plötzlich einen Sinn aus einer komplett anderen Perspektive, die Geri vollkommen neu war.

Die anfängliche Beklemmung löste sich schliesslich endgültig, als ein befreiendes Licht am anderen Ende eines unendlich lang anmutenden Tunnels erschien. Ohne das Empfinden von Zeit und immer noch durch die veränderte Gravitation etwas verwirrt, lief Geri zielstrebig auf das Licht zu. Und je mehr er sich dem strahlenden Ziel näherte, desto mehr nahmen die gewohnten Gesetze der Schwerkraft wieder zu. Und plötzlich stellte Geri fest, dass er auf Wasser lief. Er blieb stehen und schaute verblüfft auf seine Füsse, während er zusehends sank. Dabei schaute er um sich und fing an, panisch zu gestikulieren. Doch ehe es ausartete, schoss Geri wie aus heiterem Himmel ein Gedanke durch den Kopf: *Hab keine Angst, Gerhard, und lass dem Zweifel keinen Raum. Es wird alles gut.* Und tatsächlich stieg er danach mühelos wieder aus der Tiefe und lief unbeschwert auf dem Wasser weiter.

Am anderen Ende auf dem Festland angelangt, offenbarte sich eine Gegend von arkadischer Schönheit. Auf klarer, nie mehr enden wollender Sichtweite lagen sanfte Hügel mit unterschiedlich grossen, verstreuten Waldgruppen, die sich mit vereinzelten, erhabenen Gebirgsgipfeln abwechselten. Überall konnte man die verschiedensten Tiere erkennen, vor allem auch solche, die man sonst eher selten oder nur aus der Ferne zu Gesicht bekam. Ob Adler, Schaf, Wolf oder Bär – sie alle lebten friedlich beieinander. Geri staunte und konnte sich kaum mehr sattsehen, während ihn überwältigende Glücksgefühle durchströmten.

«Donnerwetter», murmelte Geri und betrachtete sein Spiegelbild im kleinen See, der von dicht belaubten Hängebirken umgeben war. Er war nicht nur über sein vollkommen gesundes Aussehen erstaunt, sondern begutachtete mit grosser Freude seinen samtigen Berner Mutz, den er immer mit Stolz bei den Jodlertreffen oder auch sonst bei besonderen Anlässen getragen hatte. Er sass hervorragend und war perfekt auf Hemd und Hosen abgestimmt. Nie zuvor war er über sein Spiegelbild derart erfreut gewesen. Dieser Uferplatz hatte also nicht nur die Wirkung einer Oase, sondern eines regelrechten Jungbrunnens. Und dennoch blieb er nicht zur längeren Rast, sondern lief auf einen nahegelegen Feldweg zu, der sich zu einem hügeligen Landstrich mit gross gewachsenen Linden, Eichen und exotischen Gehölzern hinzog.

«Wuschel, bist du es?» sprach Geri erstaunt und nahm die Katze, die ihm gefolgt und schnurrend um die Beine gestrichen war, in die Arme. «Ja, du bist es wirklich!», freute er sich und knuddelte den halblanghaarigen Stubentiger.

«Du scheinst überrascht, deinen geliebten und lange vermissten Kater hier zu treffen …»

Eine wohltuende Stimme unterbrach das herzliche Wiedersehen. Geri liess den Kater wieder zu Boden gleiten und wandte sich zur Seite. Ein ritterlich gekleideter Mann mit schulterlangem Haar und gepflegtem Bart näherte sich mit einem strahlenden Lächeln.

«Ich habe dich erwartet, Gerhard, und freue mich sehr, dich hier zu sehen.» Der Mann schritt mit offenen Armen auf Geri zu und drückte ihn liebevoll an sich. «Komm mit, ich möchte dir jemanden vorstellen.»

Geri brachte keinen Mucks hervor. Irgendwie musste er sich einkriegen, denn nie zuvor hatte er sich so geborgen gefühlt wie bei diesem Mann, der ihm mehr Würde entgegenbrachte, als er in seinem ganzen Leben je erhalten hatte. Und als er seinen Arm auf Geris Schulter gelegt hatte, zeigte er auf einen märchenhaften Säulenpavillon aus weissem Stein und goldschimmernder Kuppel, der oben bei einer Waldlichtung hervorragte und damit den Hügel krönend veredelte. «Na geh schon, du wirst sehnlichst erwartet.»

Geri rätselte zwar noch, was und vor allem wer ihn dort oben wohl erwarten würde, machte sich aber entschlossenen Schrittes auf den Weg. *Ob das wohl Rosmarie ist?* Rosmarie, seine treue Gefährtin, die ihm in jeder Lebenslage zur Seite gestanden war. Eine Frau, die – wie er selbst gelegentlich verlauten liess – viel zu gut für ihn war. Und sie hatte ihn bereits wenige Jahre zuvor wegen ihrer Zuckerkrankheit und eines erfolgten, stummen Herzinfarktes allein zurückgelassen. Doch je näher er dem Ziel kam, desto mehr erwachte in ihm auch eine alte Hoffnung wieder, die er viele Jahre zuvor aufgegeben, begraben und vergessen hatte. Deshalb zögerte er –

nein, er wagte es schon gar nicht erst – dem Gedanken noch mehr Raum zu geben.

«Willkommen auf dem Kronenhügel, geschätzter Gerhard», wurde er schliesslich bei seiner Ankunft von einer Frau begrüsst. Sie hatte sich von einer kleinen Gruppe gelöst, die sich um den Pavillon versammelte und sich heiter unterhielt. Ihre langen, leicht gelockten Haare tanzten in schimmernd goldbraunem Glanz, während sie leichten Fusses auf Geri zuschritt. Die Frau versprühte trotz ihrer jungen Erscheinung eine gereifte Mischung aus Adel und Milde. Ihre Körperhaltung war selbstbewusst. «Ich bin Eleanora, Königstochter und Mitverwalterin dieser Lande.»

«Wo bin ich hier?», fragte Geri überfordert. «Ist das der Himmel?»

«Das ist ein kleiner Teil davon, ja», antwortete die ehrwürdige Frau freundlich.

«Ein kleiner Teil? Das ist ja immens!», staunte Geri und liess seine Augen über ein atemberaubendes Tal streifen, das durch einen breiten, ruhig quellenden und kristallklar spiegelnden Fluss getrennt wurde. Beide Uferseiten waren mit Pflanzen, blühenden Sträuchern und Bäumen übersät, die an Schönheit jedem den Atem raubten. Überdies besiedelten – Herrenhäusern und Schlössern gleich – Anwesen mit prächtigen Parks und üppig blühenden Gärten die anliegenden Täler.

«Gefällt's dir?»

«Eine Augenweide sondergleichen», nickte Geri voller Bewunderung. «Aber was sind das alles für prächtige Gehöfte?»

«Das sind die Ländereien derer, die ihr Leben dem Dienst am Nächsten verpflichtet oder gar geopfert haben. Der Lohn jener, die sich unermüdlich und selbstlos für die Gesundheit und das Wohl aller – ohne Vorbehalt von Rang und Namen – eingesetzt haben.»

Eleanora lief ein paar Schritte und zeigte auf ein gut sichtbares Schloss, das mit seinen stolzen Aussichtstürmen und -plattformen ins Auge stach: «Dort zum Beispiel wohnt Schwester Anna, bekannt als die Seilerin. Sie war kinderlos, und dennoch ist sie die Mutter von vielen geworden. Ihr Anwesen ist gross, gerade auch, weil sie immer wieder von Mitstreiterinnen oder Geheilten besucht wird. So kommt es dort zur unvergesslichen Erstbegegnung oder wird zum freudigen Wiedersehen, gefolgt vom gemeinsamen Feiern des Lebens und dem dankbaren Ehren des Schöpfers. Es sind sozusagen ihre Werke, die ihr nach und nach folgen.»

«Dann werde ich sie auch treffen?», sprach Geri betört, während er seine Augen kaum mehr vom Ausblick lösen konnte.

«Und ob! Alles zu seiner Zeit», bestätigte Eleanora und führte Geri an eine erhöhte Stelle, wo sich der Blickwinkel noch weiter ausdehnte und der Fuss des Kronenhügels sichtbar wurde. «Und das, das ist das Tal der Ungeborenen.»

«Ungeborene?»

«Unerwünschte, Fehlgeborene, Identitätslose – jene, die es nicht in die Welt schafften. Für jeden einzelnen Ungeborenen wird etwas Neues gepflanzt, das auf seine Weise wächst und einzigartig blüht. Eine stete Erinnerung daran, dass sie ein vollwertiger Teil des Daseins sind», veranschaulichte die Frau und strich mit der Hand über ihren Anhänger, den sie offenbar in besonderer Obhut trug.

Geri hing Eleanora an den Lippen. Er spürte, wie ihre Worte heilsam auf alte und längst vergessene Wunden einwirkten. «Ein vollwertiger Teil des Daseins», wiederholte er und starrte dabei versonnen ins weite Tal.

«Ganz genau», bestätigte Eleanora. «Hier erhalten sie das Leben und die Würde, die einem jeden Geschöpf zugedacht ist; die vollkommene Entfaltung ihrer Bestimmung und Vollendung.»

Geri blickte immer noch ins Tal, als würde er nach etwas suchen, wurde aber bald von Pferdegalopp abgelenkt. Einen Steinwurf entfernt brachte eine Reiterin ihr braunes Pferd mit glänzend weisser Mähne zum Stehen, worauf sie elegant vom Ross stieg. Eine junge Frau in einem langen, trachtenähnlichen Kleid mit zierenden Schnüren schritt entschlossen und strahlend auf Geri zu. Einen Teil ihrer langen, goldblonden Haare trug sie als kunstvolles Zopfmuster um den Kopf gewickelt, während zwei seitliche Strähnen ihr feines, rundliches Gesicht mit grünblauen, sanftmütigen Augen betonten. Geri blieb im inneren Zwiespalt erstarrt stehen und schaute Eleanora fragend an, worauf diese ihm bestätigend mit einem warmen Lächeln zunickte.

«Fällt es dir so schwer, die Wahrheit zu erkennen? Dein Herz betrügt dich nicht», sprach die adrette Reiterin, als sie schliesslich vor Geri stand. «Es ist so: Ich bin es wirklich, ich bin Evelin.»

«E … Evelin??», schrie Geri freudig auf, «Oh, Evelin!»

«Papa!»

Die beiden fielen sich in die Arme und weinten vor Glück.

«Du kannst dir gar nicht vorstellen, wie sehr ich mich nach diesem Moment gesehnt habe», strahlte Evelin, als sich die beiden nach einer gefühlten Ewigkeit aus den Armen gelöst und sich lachend die Tränen aus den Augen gewischt hatten.

«Meine Tochter», sprach Geri, der sein Glück immer noch nicht fassen konnte, «was habe ich um dich geweint, wie habe ich mit Gott gerungen, ihm gezürnt, ihn verdrängt und schliesslich entmachtet. Jetzt schäme ich mich so stark …»

Geri sackte auf die Knie und hob seine Arme zum Himmel: «Mein Herr und mein Gott. Wie konnte ich jemals an dir zweifeln? Wie konnte ich damals ahnen, dass deine Pläne vollkommen sind? Dass du ein hilfloses und unschuldiges Wesen nicht einfach dem Elend und dem Tod überlässt, ohne dass du damit etwas viel Grösseres bereithältst? So wie du mit einem jeden von uns etwas Grösseres und Vollkommenes vorhast. Ja, bei weitem mehr als ein verwirktes Leben, das selbst in seinen schönsten Momenten nur ein Hauch ist, gemessen an der hiesigen, unendlichen Herrlichkeit – ach, Herr, bitte vergib mir!»

«Das habe ich bereits getan», sprach eine vertraute Stimme. Es war dieselbe Stimme, die er unten am See gehört hatte. Geri erblickte zwei Hände mit grossen Wundmalen. «Darfst sie ruhig anfassen, Thomas tat es auch.»

Mit Thomas, dem zweifelnden Jünger Jesu, konnte sich Geri zu Lebzeiten noch am ehesten identifizieren. Und nun sah er sich in einer ähnlichen Situation wieder. So griff er mit seinen Händen nach den Wundmalen und fasste diese prüfend an, worauf er sich aufrichtete. Und während er die Hände festhielt, durchströmte ihn ein beispielloses Gefühl von Wärme und Kälte zugleich, das ihn in eine heilkräftige Euphorie versetzte. Von einem Moment auf den anderen stand der ritterlich gekleidete Mann vom Seeufer verklärt vor ihm: Seine Haare wurden weiss wie reine, schimmernde Seide und sein Angesicht strahlte wie die Sonne. Seine Augen leuchteten wie Sterne und funkelten wie Kristallkugeln, in denen Geri sein ganzes Leben widerspiegelt sah. Und bald nahm er eine klare innere Stimme wahr:

Herr, du hast mein Herz geprüft und weisst alles über mich. Wenn ich sitze oder wenn ich aufstehe, du weisst es. Du kennst alle meine Gedanken. Wenn ich gehe oder wenn ich ausruhe, du siehst es und bist mit allem, was ich tue, vertraut. Und du, Herr, weisst, was ich sagen möchte, noch bevor ich es ausspreche.

Du bist vor mir und hinter mir und legst deine schützende Hand auf mich. Dieses Wissen ist zu wunderbar für mich, zu gross, als dass ich es begreifen könnte. Wohin sollte ich fliehen vor deinem Geist, und wo könnte ich deiner Gegenwart entrinnen? Flöge ich hinauf in den Himmel, so bist du da; stiege ich hinab ins Totenreich, so bist du auch da. Nähme ich die Flügel der Morgenröte oder wohnte am äussersten Meer, würde deine Hand mich auch dort führen und dein starker Arm mich halten. Bäte ich die Finsternis, mich zu verbergen, und das Licht um mich her, Nacht zu werden – könnte ich mich dennoch nicht vor dir verstecken; denn die Nacht leuchtet so hell wie der Tag und die Finsternis wie das Licht.

Du hast alles in mir geschaffen und hast mich im Leib meiner Mutter geformt. Ich danke dir, dass du mich so herrlich und ausgezeichnet gemacht hast! Wunderbar sind deine Werke, das weiss ich wohl. Du hast zugesehen, wie ich im Verborgenen gestaltet wurde, wie ich im Dunkel des Mutterleibes gebildet wurde. Du hast mich gesehen, bevor ich geboren war. Jeder Tag meines Lebens war in deinem Buch geschrieben. Jeder Augenblick stand fest, noch bevor der erste Tag begann.

Wie kostbar sind deine Gedanken über mich, Gott! Es sind unendlich viele. Wollte ich sie zählen, so sind sie zahlreicher als der Sand! Und wenn ich am Morgen erwache, bin ich immer noch bei dir.

Geri liess die Hände los und die Verzückung legte sich. Er hatte Evelin, Eleanora und die ganze Umgebung komplett vergessen.

«Meine Augen haben den Heiland der Welt gesehen und meine Gedanken haben es klar und deutlich bezeugt», gab Geri wonnetrunken von sich. «Ich wusste gar nicht, dass sich der Psalm, den ich zuletzt im Konfirmandenunterricht gelesen und über all die Jahre wieder vergessen hatte, sich dermassen lebendig anfühlt …»

«Das ist lediglich ein kleiner Vorgeschmack», erklärte Evelin und nahm ihren Vater an der Hand. «Seine Worte sind Geist und Leben; die ganze Schöpfung zeugt davon.»

«Aber», fragte Geri um sich schauend, «wo ist er denn auf einmal hin? Er war doch noch hier …»

«Ich bin immer bei dir, Gerhard, auch wenn du mich nicht siehst», sprach die unverwechselbar vertraute Stimme. «Doch ich werde dich noch einmal kurz zurückschicken, bevor du vor meinem Angesicht in deine verdiente Ruhe und Freude eingehen wirst.»

DAS KOMA

*D*onnerstag, 19. Oktober. Es ist kurz vor zehn und meine Gedanken sind erstaunlich klar. Unglaublich … Aber stell dir vor, ich konnte wieder schlafen! Und zwar so richtig tief! Wenn ich denke, was in den letzten beiden Tagen alles passiert ist, grenzt das an ein Wunder. Aber weisst du, es lehrt mich einfach immer wieder, dass ich meiner Gefühle nie Herr werden kann – egal, wie ich mich darauf einstelle. Es bleibt eine wahre Kunst der Ausgeglichenheit, wenn man sein Herz bedingungslos verschenken und es gleichzeitig im richtigen Moment zurückhalten kann. Manchmal denke ich mir, es wäre alles so viel einfacher, würde ich nicht so heftig fühlen und tief empfinden. So manches bliebe mir erspart. Ich meine, in einem Moment ist mein Herz noch total entzweit über diese einschneidende Begegnung mit dem perfekten Mann – und wie ungeschickt ich darauf reagiert habe. Oder war es gescheit? Himmel, wenn ich das wüsste! Verstehst du, was ich meine? … Ach, das Leben ist manchmal einfach bizarr … Denn im nächsten Augenblick erscheint wie eine Vertraute aus längst vergangenen Tagen diese Halona – wie aus dem Nichts! Mein Gott … Ich kann immer noch nicht fassen, was diese Frau alles auf sich genommen hat, nur weil sie allen Umständen zum Trotz unbeirrt an das Gute glaubt … Eine lautlose Heldin ohne jeglichen Anspruch auf Ansehen …»

Nyas ausgiebiger Schlaf hatte sich bis in den späten Morgen hineingezogen. Daher blieb der Spaziergang zur Waldinsel aus. Stattdessen gönnte sie sich mit ausgedehnter Morgentoilette ein Stück Wellness, gesellte sich anschliessend bei einem reichhaltigen Brunch zu Mädy und griff ihr anschliessend haushälterisch noch etwas unter die Arme.

Die Nacht hatte also durchaus ihre heilsamen Spuren hinterlassen, die sich bereits in den späten Abendstunden angebahnt hatten. Nyas Begegnung mit Halona und das Gespräch mit ihrer Mutter waren zwar tiefschürfend, doch Mädy war nun fest entschlossen, ihr unbewusstes Unrecht, das sie ihrer unglücklich verstossenen Freundin angetan hatte, in irgendeiner Weise wieder gut zu machen. Oder zumindest das frühere Beziehungsverhältnis wieder in die richtigen Bahnen zu lenken.

Wie konnte ich nur an Halonas Gutherzigkeit zweifeln und in all den Jahren tatenlos zusehen, wie ihre Person nach und nach in Verruf geriet – furchtbar … Papa meinte zwar am Rande, dass wir uns da vielleicht zu fest in etwas hineinsteigern würden und relativierte das Ganze. Wir hätten schliesslich auch noch unseren eigenen Ruf zu bewahren. Ha, von wegen bewahren … Höchstens etwas Ungeklärtes würde ich bewahren! Und das will ich einfach nicht mehr. Deshalb werde ich noch heute ins Tenn hochgehen, sie aufsuchen und hoffentlich dem Unrecht ein für allemal ein Ende bereiten.

Mutters Worte und die Vorstellung der inneren Kämpfe, die ihnen vorausgegangen waren, begleiteten Nya während der ganzen Autofahrt unterwegs in die Klinik.

Nyas Gefühle waren zwar etwas gemischt, doch sie war zuversichtlich, dass die Begegnung Lohnenswertes bringen würde. Eine schleichende Vorahnung konnte sie noch nicht genau einordnen. Aber sie war beim Eintritt in die Station durch eine unerwartete Nachricht ohnehin wieder verflogen.

«Seit wann liegt denn Herr Zwick im Koma?», wollte Nya wissen, nachdem sie vor dem Schichtwechsel durch Schwester Trix über den Stand der Dinge in Kenntnis gesetzt wurde.

«Seit Montagnacht.»

«Stufe?»

«Vierten Grades, würde ich sagen. Hier», fügte Trix an, während sie Nya eine Dokumententasche entgegenstreckte, «steht alles im Patientendossier.»

Auch wenn Trix auf den ersten Eindruck eher kühl und empfindungslos wirkte, war sie eigentlich eine sehr umgängliche Person. Sie hatte einige Wochen nach Nya den Dienst in Station 5 aufgenommen, wo man ihre korrekte und hilfsbereite Art schnell zu schätzen lernte. Obwohl sie bei den Patienten jeweils kurz angebunden war, so konnte man sich in jeder Lage auf sie verlassen. Man könnte sagen, dass sie – im Gegensatz zu Nya – auf der zurückhaltenden Seite der Herzenswaage stand. Charakterlich also zwei komplette Gegensätze, die sich aber wegen ihrer ergänzenden Eigenschaften immer wieder zu achten lernten.

«Wer hatte Nachtdienst?», fragte Nya und überflog kurz den Bericht, um ihn in einem zweiten Gang akribisch durchzugehen. «Aha … Mmm …»

«Angela meinte, dass sie so etwas in ihrer gesamten beruflichen Laufbahn noch nie erlebt habe.»

«Was denn?»

«Herr Zwick sei nach einem Herzstillstand trotz allen Reanimationsversuchen klinisch tot gewesen. Sie hätten sich damit abgefunden und all ihre Bemühungen bereits eingestellt. Keine fünf Minuten später habe der Körper aber wieder die ersten Lebenszeichen gegeben, behauptete Pierre.» Nya sah Trix fragend an. «Wohlverstanden: Von selbst!», betonte Trix mit grossen Augen. «Ohne Fremdeinwirkung! Man versuche sich das vorzustellen …»

Nya verzog nachdenklich das Gesicht. «Und warum steht nichts davon im Bericht?»

«Ich vermute aus Erklärungsnotstand. Stell dir vor, wie das medizinisch klingen würde …»

«Nach einem Wunder, oder?»

«Du glaubst also an Wunder?»

«Das ganze Leben ist doch ein einziges Wunder. Oder etwa nicht?», entgegnete Nya und liess den Bericht in die Dokumententasche verschwinden. «Wir versuchen lediglich, es mit unseren fortschrittlichen und dennoch begrenzten Mitteln zu erforschen, zu verstehen und zu erklären. Letzten Endes werden aber auch wir uns immer wieder vor dem Unerklärlichen, den Wundern, beugen müssen.»

Trix kniff die Augen zusammen, neigte den Kopf zur Seite und nickte verhalten. Ein Ausdruck, den Nya nur zu gut kannte, da man daran ihre ganze Skepsis und Ironie ablesen konnte.

«Und trotzdem», bemerkte Trix sachlich, «sein Zustand ist prekär. Selbst wenn er wieder zurückkommen sollte, werden ihm seine gesundheitlichen Umstände kaum mehr ein würdiges Dasein ermöglichen.»

«Sollte er zurückkommen», erwiderte Nya und legte das Dokument ins Zimmerfach zurück, «wird es seine Berechtigung haben – allen Umständen zum Trotz.»

«Aber zaubern können wir trotzdem nicht!»

«Müssen wir das denn?», spekulierte Nya, worauf sie erläuternd ausholte: «Weisst du, in ein paar Jahren wird die Medizin vielleicht eine plausible Erklärung für all das haben.

Und sicherlich wird man sich in den vielen, immer breiter wachsenden Bereichen der Arzneikunde enorm weiterentwickeln und Antworten auf viele unserer derzeitigen Fragen haben. Ich glaube, das war selbst Anna Seiler bewusst, als sie dieses Spital vor über sechshundert Jahren gründete – ein Krankenhaus, das in der hoffnungslosen Zeit der Pest entstand.» Nya verweilte kurz in Gedanken, worauf sie abwesend vor sich hin lächelte. «Wer hätte damals gedacht, dass man die tödliche Seuche irgendwann als Bakterium gezielt und erfolgreich mit Antibiotika behandeln kann? Aber war deswegen ihre Arbeit damals umsonst? Wohl kaum! Im Gegenteil: Diese visionäre und uneigennützige Frau ist ein bleibendes Zeugnis davon, dass es zuallererst unsere höchste Aufgabe ist, mit den vorhandenen Mitteln den Menschen die Würde entgegenzubringen, die ihnen gebührt. Und wenn es Wunder sind, dann nehmen wir sie dankbar an. Verstehst du, was ich meine?»

Trix nickte zustimmend. Die Richtschnur der Seilerin hatte eine lange, jahrhundertealte Tradition hinter sich und wurde in der Station stets als unanfechtbares Credo respektiert. Eine Abschrift ihres Testaments auf der Station legt ein beständiges Zeugnis davon ab. Und manchmal, wie in dieser Situation, diente es dazu, die eigene Einstellung und Überzeugung zu überdenken.

«Es ist nicht nur sein Leben», fügte Nya nachdenklich an, während sie mit dem Kopf kurz auf Geris Dossier deutete, «sondern auch dasjenige seiner Angehörigen. Dass er innerhalb so weniger Tage zwei Infarkte überlebt und hartnäckig um sein Dasein kämpft, gibt mir echt zu denken, als würde er noch auf etwas warten, bevor er gehen kann …»

«Aber seine Angehörigen waren doch alle hier, nicht? In der Regel können Leute in solchen Situationen jeweils loslassen und sind danach merklich gelassener, um nicht zu sagen: erlöster.»

Nya stimmte nickend zu. «Du hast natürlich vollkommen recht. Und darüber hinaus waren seine Kinder bereits da, noch bevor er ins Koma fiel. Dennoch scheint mir, dass hier noch etwas Entscheidendes fehlt.» Nya tippte sich nachdenklich ans Kinn. «Ich gehe mal zu ihm.»

«Einer seiner Söhne ist bei ihm», rief Trix hinterher und äugte kurz auf ihre Armbanduhr. «Allerdings ist das auch schon wieder eine halbe Stunde her.»

Nya bedankte sich mit einem Handzeichen, während sie den Gang hinunterlief und sich dem Zimmer 105 näherte. Geri war trotz allen Zwischenfällen nicht verlegt worden. Sein Zustand wurde mit den bereits bestehenden Apparaten intensiv überwacht.

Nya klopfte kurz und trat ein. Das Zimmer war von einer erdrückenden Stimmung erfüllt, was angesichts der Umstände nichts Aussergewöhnliches war. Die Auseinandersetzung mit der Vergänglichkeit des Lebens, dem Tod und mit allem, was das mit sich bringt, ist ein unmessbarer Brocken, den jedes Individuum bewusst oder unbewusst mit sich herumträgt. Irgendwann macht er sich aus heiterem Himmel bemerkbar und – wie in diesem konkreten Fall – kann sich dann alles in einem Raum niederschlagen.

«Guten Tag. Schwester Nya – ich bin die Leiterin vom Spätdienst.»

«Oh, bitte entschuldigen Sie mich, Schwester. Zwick Hans. Freut mich», erwiderte der Mann, während er vom Stuhl aufstand und Nya die Hand entgegenstreckte. «Ich habe vorhin auf der Station gemeldet, dass ich nur kurz meinen Vater besuchen wollte. Habe wohl komplett die Zeit vergessen.»

«Sie brauchen sich hierfür doch nicht zu entschuldigen, Herr Zwick. Bleiben Sie ruhig so lange, wie Sie möchten. Ihrem Vater wird Ihre Gegenwart und Nähe guttun.»

«Glauben Sie? Kann er mich denn in diesem Zustand überhaupt noch hören, wenn ich mit ihm spreche?»

«Das ist aus medizinischer Sicht schwer zu sagen. Dennoch spricht nichts dagegen, dass er es irgendwie wahrnimmt – auf welcher Ebene auch immer. Eine Mutter spricht ja auch zu ihrem noch ungeborenen Kind.»

Hans nickte zustimmend und starrte selbstversunken seinen tiefschlafenden Vater an. «Es ist schon traurig, dass einem die wichtigen Dinge erst dann bewusst werden, wenn es zu spät ist. Zum ersten Mal in meinem Leben konnte ich endlich aussprechen, was ich ihm schon immer sagen wollte. Wissen Sie, in unserer Familie haben wir nie gross über Gefühle gesprochen. Wir Buben hätten uns da niemals als Männer erwiesen, wenn wir unsere Gefühle zu stark gezeigt hätten. Und Tränen wären ein Zeichen der Schwäche gewesen – wie töricht …» Hans schüttelte mit geschlossenen Augen den Kopf. «Ach, bitte entschuldigen Sie mich, Schwester, ich wollte Sie nicht mit diesem alten Zeugs behelligen.»

«Es macht mir überhaupt nichts aus», beruhigte Nya Hans. «Fahren Sie ruhig fort, wenn es Ihr Bedürfnis ist.»

Hans schüttelte erneut den Kopf und lächelte abwesend. «Irgendwann kam dieser italienische Junge und hat alles verändert. Mein Vater zeigte plötzlich Gefühle, die er bei uns Kindern nie oder kaum gezeigt hatte. Und ich wurde eifersüchtig. So richtig eifersüchtig auf diesen Knaben, verstehen Sie? Als frühpensionierter Tagesvater hatte er einem Fremden mehr Aufmerksamkeit und Zeit gewidmet als allen seinen Kindern zusammen. Können Sie sich vorstellen, was das für mich bedeutete?»

«Ich wünschte, ich könnte es», antworte Nya dem gebrochenen Mann, der seine Tränen sichtlich bemüht zurückhielt. «Aber schämen müssen Sie sich deswegen für Ihre Gefühle nicht. Im Gegenteil: Gerade jetzt sind sie wichtiger denn je, damit kein unausgesprochener Groll die Beziehung noch mehr erschwert. Vergeben, Lösen, Loslassen – ein grösseres Geschenk können Sie Ihrem Vater selbst in dieser Stunde nicht machen.»

Hans nahm Nyas Worte mit einem nachdenklichen Nicken an. «Ich hätte ihm das alles schon früher sagen und mit ihm klären müssen, dann wäre unser Verhältnis vielleicht etwas weniger distanziert gewesen. Und ich hätte nicht um jeden Preis um seine Gunst ringen müssen. Vielleicht hätte ich so mein eigenes Geschäft vor dem Ruin retten können …»

Nya spürte, wie sich die anfängliche Schwere im Raum etwas gelöst hatte. Gerade Hans' gewichener, verbitterter Gesichtsausdruck bestätigten ihre Gefühle.

«Ich lasse Sie jetzt besser wieder mit Ihrem Vater allein», sprach Nya ausklinkend und begab sich zum Ausgang, bevor sie sich an der Tür noch einmal Hans zuwandte: «Und zu spät ist es nie.»

DIE RÜCKKEHR

*N*ein … Ich will doch gar nicht zurück, nein! Bitte nicht! Ich möchte hier bleiben! … Evelin … Evelin!!»

Geri kamen die ersten Worte über die Lippen, nachdem er das Bewusstsein verloren hatte. Auf unerklärliche Weise war er liegend in der Vorhalle der mittleren Türe wieder zu sich gekommen. Er raffte sich auf und schaute verwundert um sich. Alles war genauso, wie es vor seinem Eintritt ausgesehen hatte: Die beiden seitlichen Türen waren nach wie vor unzugänglich und die mittlere schien wieder verschlossen. «War das nun alles echt oder habe ich mir das nur eingebildet?», fragte er sich laut denkend. Dabei stand er erneut vor der Türe und streckte neugierig seine Hand nach dem Türring aus, um die Tür aufzustossen. Doch diesmal gab sie nicht nach. Das änderte sich auch dann nicht, als Geri mit etwas mehr Druck nachhelfen wollte. Sie blieb versiegelt.

«Die Macht über Leben und Tod liegt letzten Endes nicht in deinen Händen. Den Schlüssel dazu hat einzig und allein der Erste und der Letzte, der Anfänger und Vollender – Er, der tot war und nun lebt in alle Ewigkeit. Er allein hat die Macht über den Tod und das Totenreich.»

Während Geri diese eindringlichen Worte hörte, merkte er, wie es hinter ihm zunehmend hell wurde. Er wandte sich um und sah in den Vorhof, wo er den Engel in seiner ganzen Wächterpracht erblickte. Allerdings war er diesmal nicht allein, sondern gefolgt von einer ganzen Schar seinesgleichen, die sich schwebend über dem ganzen Vorhof verteilt hatte. Geri lief dabei mit offenem Mund auf den Wächter zu und wagte es nicht einmal, mit der Wimper zu zucken – dermassen eingenommen war er von der Herrlichkeit, die sich vor seinen Augen offenbarte.

«Wo kommen die alle auf einmal her?», sprach Geri ehrfürchtig und schaute heimlich um sich. «Was geht hier vor?»

«Das sind alles meine Mitstreiter im Dienst dieser Stätte. Zusammen bilden wir die göttliche Legion von Station 5. Wir wurden beauftragt, dich zurück ins Leben zu begleiten.»

«Ah-Aber», verschluckte sich Geri vor Aufregung, «warum so viele?»

«Weil es ein schmerzhafter Kampf für dich sein wird», versuchte der Wächter Geri beizubringen. «Du bist jetzt frei von deinen körperlichen Beschwerden und hast dich an die geistliche Dimension gewöhnt. In deinen irdischen Körper zurückzukehren bedeutet, dass du dich wieder mit entsprechenden Einschränkungen abfinden musst.»

Just in diesem Moment erklangen fürchterliche Laute, die sich näherten, bis sie zu entsetzlich beängstigendem Lärm ausarteten, während die Schattenrisse heranfliegender Wesen sichtbar wurden.

Geri fuhr zusammen. «Was ist denn das? Was sind das für widerliche Kreaturen?»

«Du siehst nun etwas, das den meisten Menschen vorenthalten wird, da es sie verstören könnte; es ist seit alters her unser archaischer Kampf. Der Kampf gegen die Finsternis», bemerkte der Wächter, während er konzentriert in Richtung der heranfliegenden Wesen blickte. «Ängste, Sorgen, Schmerzen, Leiden, Hoffnungslosigkeit, Verbitterung, Hass – die Liste ist lang. Alles gefundenes Fressen für diese Wesen, die damit die Menschen gedanklich quälen, knechten und ihnen so die Erlösung verwehren.»

Die paar Dutzend Engel begaben sich indessen kampferprobt in Abwehrstellung. Ohne jeglichen Befehl erzeugten sie einen Lichtwall, der sich wie ein abschirmender Bogen über dem Vorhof ausbreitete, an dessen Front drei Engel die Speerspitze bildeten. Und als vor Geris Augen ein stürmischer Kampf ausbrach, hatte sich der Wächter mit ausgebreiteten Flügeln und gezücktem Flammenschwert schützend um Geri gestellt, auch wenn keine Gefahr in seine Nähe zu kommen drohte.

Schien das geistliche Gefecht eben noch endlos anzudauern, wurde es plötzlich durch wuchtige Posaunenklänge durchdrungen, während ein mehrstimmiger Chor in eine triumphierende Melodie einstimmte und damit den Boden zum Beben brachte. Die Dämonen erzitterten und suchten das Weite, nachdem sich der Himmel geöffnet hatte und die Herrlichkeit eines Engelchors von unzählbarer Grösse das gesamte Grundstück von Station 5 einnahm. Als Geri gebannt das Ganze verfolgte, verwandelte sich das Areal zurück in die vertrauten Stationsräume des Anna-Seiler-Hauses. Dabei schwebte er im luftleeren Raum über einem Bett, in dem er seinen Körper liegen sah. Vor seinem Bett stand mit ausgebreitenden Armen und geschlossenen Augen eine inbrünstig singende Person – das schönste Lied, das er je gehört hatte.

Von weit weg wurden Stimmfetzen wahrnehmbar, die sich wirr zusammensetzten, aber zunehmend deutlicher zu kurzen und klaren Sätzen wurden: «*Herzschlag … Puls … Oh, mein Gott … Was ist los? … Das reicht nicht … Sauerstoff … Haben ihn … Hallo? Können Sie mich hören?*»

Geri versuchte langsam die Augen zu öffnen, die ihm aber umgehend zu schwer wurden und ihm wieder zufielen. Geri spürte, wie er aus einem Tiefschlaf erwachte. Alles hörte und fühlte sich ungewöhnlich und seltsam an. Vor allem aber wurden ihm seine Gebrechen wieder spürbar bewusst.

«*Bleiben Sie ruhig, Geri. Versuchen Sie sich nicht anzustrengen … Wir sind bei Ihnen. Sie haben richtig tief geschlafen.*»

Es dauerte ein gefühlt halbes Leben, bis Geri bei ansprechbarem Bewusstsein seine Augen öffnete.

«Willkommen zurück, Geri. Sie sind ein richtig mutiger Kämpfer, ein wahrer Held – ich bewundere Sie!»

Diese warme Stimme kannte er. Er wandte seinen Kopf leicht zur Seite und erblickte ihn: den Engel von Station 5. Aber irgendetwas in seinem Gesicht hinderte ihn daran zu sprechen. Er führte langsam seine rechte Hand zum Gesicht und betastete die geschlossene Sauerstoffmaske.

«Ich kann Ihnen die Maske abnehmen und den Sauerstoff über die Nasensonde zuführen, damit Sie wieder sprechen können, wenn Sie möchten. Ist das in Ordnung?» Geri nickte und schaute bewundernd in das Antlitz, das ihm entgegenstrahlte.

«Wissen Sie noch, wer ich bin?», fragte die Schwester, während sie mit ein paar geschickten Handgriffen die Sauerstoffzufuhr anpasste. «So, das hätten wir.»

«Nya. Schwester Nya.» Die Worte kamen Geri mit erlösender Freude über die Lippen.

«Ja, richtig, ich bin Schwester Nya. Sie erinnern sich also.»

«Sie haben gesungen. War wunderschön.»

«Sie haben mich gehört?»

Geri nickte. «Mit den Engeln zusammen.»

«Engel? Jetzt übertreiben Sie aber. Sie sind ja immer noch derselbe Charmeur», zwinkerte Nya, berührte sanft Geris Handrücken und fügte, als wollte sie ein Geheimnis verraten, mit leiser Stimme an: «Das war lediglich meine Interpretation von *In the Shade of the Sun*, einem Lied von Saraya.»

Geri nahm es still zur Kenntnis.

«Ach, bitte entschuldigen Sie mich, Geri», lachte Nya unvermittelt auf, «ich tue ja gerade so, als würden Sie Rockmusik verstehen …»

«Erwache aus deinem Schlaf, die Zeit ist da. Die Wahrheit wird dich jenseits der Sonne immer finden», erklang es darauf zwar langsam, aber erstaunlich gelöst aus Geris Mund.

«Moment mal …» Nya stockte kurz der Atem. «Habe ich das soeben richtig gehört? Das ist doch die Übersetzung des Refrains vom Lied!» Verwundert brachte sie ihren Kopf in die Nähe ihres Patienten und schaute ihm fragend in die Augen. «Woher verstehen Sie so gut Englisch, Geri?»

Doch statt darauf zu antworten, machte Geri grosse Augen und deutete zögernd mit leicht zitternder Hand auf Nyas Hals. «Eleanora. Derselbe Anhänger.»

«Eleanora?», fragte Nya überrascht und tastete nach dem Anhänger. «Das ist unmöglich …», sprach sie leise und starrte ins Leere. Schon im nächsten Augenblick aber versuchte sie gekonnt von ihrer Ergriffenheit abzulenken. «Ernsthaft, Geri, Sie sollten sich nicht zu stark anstrengen. Sie sind gerade erst aus dem Koma erwacht.»

«Ich … Ich möchte es aber Ihnen erzählen, Schwester … Habe nicht mehr lange Zeit … Es ist mein letzter Wunsch … Ich weiss, Sie werden mir glauben.»

Geris Worte hörten sich zwar träge, aber keineswegs erzwungen an. Die Ernsthaftigkeit seines Anliegens und die

Überzeugung in seiner Stimme liessen Nya daher nicht lange fackeln.

«Bitte entschuldigen Sie mich kurz, Geri, ich bin gleich wieder bei Ihnen», haspelte Nya. «Dass Sie mir ja nicht davonlaufen!» Nya verliess das Zimmer und eilte zielstrebig ins Stationsbüro, das von den Schwestern Julia und Britta belegt war.

«Immer noch im Überwachungsraum beim Zwick?», wollte Britta wissen, die sich gerade administrativen Arbeiten gewidmet hatte.

«Ja», erwiderte Nya von ihrem Garderobenschrank zurückkehrend, «und es wird wohl noch ein Weilchen dauern.»

«Soll ich dich ablösen?», bot Julia aufmerksam an. «Immerhin hast du mehr oder weniger den ganzen Nachmittag dort verbracht.»

«Das geht schon, Julia. Danke trotzdem. Ist gerade sehr delikat», erklärte Nya kurz angebunden. «Bin also vorläufig nur im äussersten Notfall abkömmlich, okay?»

«Und sonst einfach melden, gell?», rief ihr Julia nach, während Nya bereits wieder unterwegs zurück ins 105 war.

«Schon klar, einfach den Klingelknopf drücken», gab Nya mit einem flüchtigen Lächeln zurück.

Zum unzähligen Mal an diesem Tag war Nya im Begriff, Geris Überwachungsraum zu betreten. Und immer war es, als würde es um ein weiteres, wundersames Kapitel reicher werden.

«So, da bin ich wieder», meldete sich die unermüdliche Schwester zurück. Sie näherte sich Geris Bettseite, rollte den verstellbaren Hocker heran und zog aus der Seitentasche ihres Kasacks ihr Diktiergerät, das sie nun auf den Patienten-Nachttisch legte. «Erzählen Sie mir alles.»

DIE FEHLENDE HÄLFTE

*E*s war kurz vor sechs Uhr abends; auf Station 5 landeten bereits die letzten Tableaus auf dem Regalwagen auf dem Weg zurück in die Küche. Bis auf ein paar vereinzelte Besuche war es ein ruhiger Nachmittag gewesen, der allerdings mit den Ereignissen rund um Geris rätselhaftem und nicht klar definierbarem Zustand eine ganz eigene Geschichte geschrieben hatte. Weder Pflegepersonal noch Fachärzte waren sich wirklich einig, wie und wo man das Ganze medizinisch einordnen konnte. Denn selbst wenn die unqualifizierten Lücken im Patientendossier nachträglich ergänzt worden wären, hätten sie kaum eine befriedigende Aufklärung ergeben. Nur eines resultierte dabei unumstösslich klar: Das Herz hatte unter all den strapazierenden Umständen seinen hohen Tribut gefordert. Geri blieben also buchstäblich noch die letzten Herzschläge. Dies, nachdem sich sein jüngster Sohn zur eigenen Erleichterung hatte aussprechen können und Geri im späteren Verlauf des Nachmittags wie durch ein Wunder, nicht zuletzt auch auf Nyas Gesangskünste hin, mit dem Aufwachen aus dem Koma reagiert hatte. Nya selbst war daraufhin hauptsächlich damit beschäftigt, die letzten verständlichen Worte von Geri entgegenzunehmen und soweit möglich aufzuzeichnen.

Doch scheinbar war die Geschichte noch nicht ganz zu Ende.

Am vorderen Ende des Flures nämlich erschien eine Gestalt, die sich vom Treppenhaus her auffallend unsicher und etwas verwirrt auf die Station zubewegte. Es war ein junger Mann, Mitte zwanzig, der äusserlich mit seinen schwarzen, zu einem Pferdeschwanz zusammengebundenen Haaren und dem zu einem Henriquatre getrimmten Fünftagebart einen bleibenden Eindruck hinterliess. Er näherte sich dem Stationsbüro und klopfte schüchtern an die offenstehende Türe.

«Guten Abend. Womit können wir Ihnen behilflich sein?», wollte Britta wissen, zog ihre Lesebrille über die Nase und senkte dabei zur klareren Sicht ihren Kopf.

«Liegt hier ein Gerhard Zwick?»

«Sind Sie ein Angehöriger?»

«Nein, eigentlich nicht, aber …»

«Dann kann ich Ihnen keine Auskunft geben», fiel ihm Britta etwas bissig und kurz angebunden ins Wort, worauf der Mann verstummte. Doch offenbar wollte er partout nicht nachgeben.

«Bitte hören Sie», drängte der junge Mann, «es ist wirklich wichtig!»,

«Tut mir leid», schüttelte Britta abweisend den Kopf, «aber wenn Sie kein Verwandter sind, darf ich Sie hier nicht einfach so zu einem Patienten führen.»

Unterdessen lief die Schwester, die aus einem der hinteren Zimmer getreten war und das Gespräch aus der Distanz verfolgt hatte, aufmerksam auf den jungen Mann zu, der ratlos an derselben Stelle stehengeblieben war.

«Was geht hier vor?», wollte die Schwester wissen. Im Gesicht des Besuchers hatten sich schon die ersten Züge von Resignation abgezeichnet, während Britta ihre Nase wieder in Ordnern und Akten vergraben hatte.

«Ich heisse Massimiliano Romeo», wandte sich der Mann erwartungsvoll an die Schwester, «also eigentlich bin ich einfach nur Massi. Und ich möchte zu Gerhard Zwick. Habe erst heute vernommen, dass er bereits letzte Woche ins Anna-Seiler-Haus eingeliefert wurde.»

«Hallo Massi, ich bin Nya.» Die Schwester streckte ihm freundlich die Hand entgegen. «Woher kennst du denn Herr Zwick?»

«Das ist eine lange und komplizierte Geschichte …» Massi hielt kurz inne und kämpfte sichtlich damit, die Fassung zu behalten. «Er ist sozusagen mein dritter Grossvater.»

Nun hatte Nya alle Bestätigungen, die sie aufgrund ihrer Vermutung haben wollte und gewährte dem jungen Mann mit einem Handzeichen den erwünschten Besuch: «Den Flur runter, Zimmer 105. Ich denke, er erwartet dich schon lange.»

Nya beobachtete, wie Massi mit schweren Schritten, aber dennoch entschlossen, den Gang hinunterlief und schliesslich im besagten Zimmer verschwand.

«Nya, wie kannst du nur so leichtgläubig sein?», zischte Britta etwas aufgeregt. «War das eben nicht etwas fahrlässig? Wir haben doch unsere Anweisungen, oder etwa nicht?»

«Ist schon gut, Britta, du hast richtig reagiert», besänftige Nya. «Aber das hier ist anders. Vertrau mir einfach.»

Und wie anders das war – für Massi jedenfalls herausfordernd. Doch der junge Mann hatte sich ein Herz gefasst und trat ein. Und damit begab er sich an einen Ort, den er eigentlich lieber gemieden hätte. Denn was er nun vor sich sah, bestürzte ihn zutiefst: Geri war inzwischen wieder dermassen geschwächt, dass er abermals die Sauerstoffmaske trug und nicht mehr sprechen konnte. Damit wurde Massi klar, dass er nicht mehr lange Zeit hatte.

«Hallo Nonno. Die Schwester draussen hat mir gesagt, dass du mich erwartest», eröffnete er verhalten sein Gespräch. «Da bin ich ja direkt erleichtert», fügte er an, während sich auf seinen Lippen ein flüchtiges Lächeln stahl und sich der Knoten allmählich zu lösen begann. «Eigentlich schäme ich mich, dass ich erst jetzt und unter diesen Umständen wieder bei dir auftauche. Nach so vielen Jahren der Stille. Und nach allem, was du für mich getan hast. Es ist einfach nicht fair, verstehst du?» Massi betrachtete betroffen die Geräte und Schläuche, an die Geri angehängt war, bevor er ihm wieder in die Augen schaute. «Du warst wie ein Engel, den Gott in meine Misere geschickt hat, in ein Leben, dem ich nicht gewachsen war. Und trotzdem habe ich deine Güte nicht verdient, da ich sie verraten habe. Ja, ausgenutzt und hinter deinem Rücken ausgeraubt habe ich dich. Wie feige …»

Massi senkte beschämt sein Haupt. Zögernd sah er wieder auf und starrte abwesend auf den Vitaldatenmonitor. «Ich wollte meinem Leben ein Ende setzen und suchte mir ein einsames Plätzchen, irgendwo im Wald. Dennoch schrie ich in meiner Verbitterung und Verzweiflung ein letztes Mal zu Gott, in der Hoffnung, dass mich da oben jemand hört. Irgendwann senkte sich mein Blick, und ich fiel ergeben auf meine Knie.» Massi kniff konzentriert die Augen zusammen. «Und da sah ich etwas glänzen und flunkern. Es überraschte mich, dass es mir vorher nicht aufgefallen war. Ich meine, es lag praktisch vor meiner Nase! Jedenfalls muss es vorher schon von einem Tier entdeckt worden sein, denn unweit dieses Schmuckstücks war eine aufgescharrte Furche.»

Massi nickte vor sich hin und senkte erneut beschämt sein Haupt. «Natürlich hätte ich das schmucke Teil verhökern können. So wie ich es mit allen anderen Dingen getan habe, die mir unter die Finger gekommen sind. Darunter auch einige deiner wertvollen Kristalle und zwei, drei deiner seltenen Briefmarken. Aber …» Massi setzte kurz ab und schüttelte verlegen den Kopf. «Hiermit schaffte ich es nicht – Ich konnte es einfach nicht! Denn an diesem Tag habe ich Gottes Liebe bewusst erwidert und diesen Anhänger als Zeichen und Pfand an mich genommen, während ich mein verpfuschtes Leben symbolisch in den aufgescharrten Platz vergrub.»

Massi suchte erneut Geris Augen. «Seither habe ich nicht aufgehört, für dich zu beten, dass Gott dir deine guten Taten reich vergelte, dir gnädig sei, über dir wache, dir gute Gesundheit schenke und dir Frieden gebe.» Massi legte sich reuevoll die Hand auf die Brust. «Und dass er mir meine Missetaten dir gegenüber verzeihe und ich es auf irgendeine Weise wiedergutmachen kann …»

Als Massi fertig gesprochen hatte, näherte er sich und berührte Geris Handrücken. «Nonno, ich hoffe, du kannst mir vergeben.» Dabei fasste er sanft Geris Hand und drehte die Handfläche behutsam nach oben. «Hier», sagte Massi und legte den Anhänger in Geris Hand, «es ist nichts, verglichen damit, was du mir alles gegeben, worum und um wieviel ich dich gebracht habe. Aber es soll ein Sinnbild sein, dass ich dir damit alles zurückgebe, was Gott in meinem Leben verändert hat.»

Geri schaute auf den Schmuck in seiner Hand, während ihm Tränen übers Gesicht liefen. Für Massi war es unmöglich zu erkennen, ob es schmerzerfüllte oder erlösende Tränen waren. Aber mit der rechten Hand tastete Geri nach dem Patientenknopf.

«Lass mich das machen, Nonno.»

Es dauerte keine Minute und schon hatte Nya auf den Alarm mit ihrem Erscheinen geantwortet.

«Ich sehe schon, Geri, diese Maske ist eine Plage für Sie. Aber denken Sie daran: ruhig weiteratmen und nicht zu fest anstrengen, gell?» Erneut zog die Schwester sorgfältig die Maske weg und passte die Sauerstoffsonden an. Dabei streifte ihr Blick bei der allgemeinen Übersichtskontrolle flüchtig über Geris linken Arm, blieb aber beim Kleinod in der offengehaltenen Hand erstarrt hängen. «Woher haben Sie das, Geri?»

Für einen Moment schien die Zeit still zu stehen – gerade so, als hätte jede Regung und jedes Wort den Hauch von Ewigkeit. Und in diesem Moment wurde Massi intuitiv klar, wem der Anhänger ursprünglich gehört hatte. Die Worte fielen ihm wie von selbst über die Lippen: «Von mir. Ich fand ihn am Tiefpunkt meines Lebens in einem kleinen Waldstück und nahm ihn als Gottes Zeichen in meine Obhut. Einige Tage später überführte mich mein Gewissen und ich brachte den Anhänger an die Fundstelle der nahegelegen Gemeinde. Diese hat sich vor etwa einem halben Jahr bei mir gemeldet, dass der Anhänger seither nicht vermisst worden sei und ich ihn behalten dürfe. Und so wurde er zu einer steten Erinnerung an den bedeutendsten Wendepunkt in meinem Leben – etwas, das ich nicht verdient habe und mir schon gar nicht erkaufen kann: Gottes Gnade und bedingungslose Liebe. Es ist das Einzige, was ich ihm von Herzen wünsche.» Beide schauten Geri an, der nun sichtlich bemüht war, etwas zu sagen.

«Gott ist gut», gab Geri schliesslich mit geschwächter Stimme von sich, schaute beide mit erlöstem Strahlen an und hielt Nya den Anhänger entgegen. Nya zögerte erst noch ungläubig, doch Geri insistierte mit einem Nicken, worauf Nya die goldene, geschmiedete Herzhälfte, die kunstvoll durch einen silbernen Engelsflügel umschlossen war, aus Geris Hand entgegennahm.

«Ja, das ist er», erwiderte Nya, «das ist er wirklich.» Sie bekräftigte die Worte mit einem dankbaren Blick nach oben, während sie ihre Tränen abwischte. Es war ein heiliger Moment, in dem man am liebsten ewig zu verweilen wünschte.

«Massi», sprach Nya mit leiser Stimme, nachdem sie auf den jungen Mann zugegangen war und ihn tröstend an der Schulter berührte, «ich muss dich leider bitten, Abschied zu nehmen.»

Massi nickte, blieb dabei aber kurz, wie benommen, stehen, während Nya das Zimmer verliess. Schliesslich beugte er sich über das Bett und umarmte seinen geliebten dritten Grossvater. Er, der eigentlich gar kein Verwandter war, und dennoch derjenige, der mehr Zeit mit seinem Bub verbracht hatte als alle Verwandten zusammen. Eine Beziehung, die zwar auch ihre Schatten vorausgeworfen hatte, sich aber in einem Dorf langsam als bedeutender Vorläufer zur Versöhnung zwischen zwei Kulturen durchzusetzen schien. Doch das waren lediglich Fakten, die in diesem Moment herzlich wenig zählten. Denn der Abschied kennt keine Kultur und keine Grenzen – er schmerzt bitterlich.

Massi hatte sich aus der Umarmung gelöst und hielt zum letzten Mal Geris Hand: «Bis wir uns wiedersehen, Nonno». Die Worte kamen tröstend aus seinem Mund, worauf er die Hand losliess und sich langsam vom Bettrand löste. Schliesslich schritt er zum Ausgang, um sich an der Tür noch ein letztes Mal umzudrehen und sich mit einem Lächeln zu verabschieden.

Draussen im Flur wartete bereits Nya und nahm Massi beiseite. «Wir wissen wirklich nicht, wie lange dein Nonno noch lebt. Aber es steht, wie du ja gesehen hast, nicht gut um ihn. Die Fachärzte sollten eigentlich jeden Moment da sein, um noch diverse Dinge wie auch eine mögliche Verlegung abzuklären. Aus diesem Grund habe ich dich etwas abrupt auf-

154

gefordert, dich zu verabschieden. Bitte entschuldige. Denn da hätte ich dich wegen der Vorschriften hinausweisen müssen, und das wäre eine durchaus unangenehme Situation geworden. Das wollte ich dir ersparen.» Nya schaute Massi voller Mitgefühl an. «Aber wenn du möchtest, kannst du mir deine Telefonnummer hinterlassen, damit ich dich allenfalls über den aktuellen Stand der Dinge informieren kann.»

«Ich», zögerte Massi, «möchte jetzt einfach nur allein sein.»

«Das kann ich verstehen.» Nya war bewusst, wie tief die Situation trotz der wundersamen Begegnung an ihm nagte und wie schwierig es war, in diesem Moment überhaupt noch aufnahmefähig zu sein. Trotzdem wollte sie ihn nicht einfach so ziehen lassen. «Danke, dass du gekommen bist», fügte sie schliesslich an und legte dabei ihre Hand auf seine Schulter, worauf er Nyas Blick erwiderte. «Es war sehr wichtig und genau zum richtigen Zeitpunkt. Mach's gut, Massi. Gott sei mit dir.»

«Tut gut, das zu hören», nickte er getröstet. «Danke für alles, Nya.»

Nya verfolgte Massis Schritte, bis er schliesslich – ohne sich wieder umzudrehen – am anderen Ende des langen Stationsganges im Treppenhaus verschwand. Praktisch zeitgleich und in scheinbarer Wachablösung stiegen drei Ärzte nebenan aus dem Lift und betraten wie erwartet die Abteilung von Station 5. Nya griff dabei noch einmal in ihre rechte Kasacktasche und holte den Anhänger hervor. Mit einem nostalgischen Lächeln betrachtete sie ihn, schüttelte leicht den Kopf und flüsterte: «Was ist das bloss für eine unglaubliche Geschichte …»

DAS GEHEIMNIS

Nya, da hat heute Morgen jemand nach dir gefragt. So ein junger, gutaussehender Mann …»

Oha, da regte sich innerlich irgendwas und Nyas Gedanken wanderten. Dabei fiel es ihr gerade äusserst schwer, sich wieder zu sammeln und auf die Arbeit zu konzentrieren. Denn allein, was sie seit Montag alles erlebt hatte, wäre reif für ein Buch gewesen. Und dennoch: Trotz allen Herausforderungen und teilweise völlig unerwarteten Begebenheiten hatte sich eine aussergewöhnliche Gelassenheit und Ruhe auf Nyas Gemüt gelegt. Gerade so, als würde dies zu einem Teil einer grossen Geschichte gehören, die bereits geschrieben war, die es aber nach und nach zu entdecken galt.

So hatte Mutter Mädy, während sich zeitgleich auf der Station unerklärliche Dinge aneinander reihten, das Wunder der Versöhnung erfahren. Ihre bevorstehende Begegnung mit Halona war ein grosser Brocken, den sie unbewusst über all die Jahre stillschweigend mit sich herumgeschleppt hatte. Ein schleichendes Konstrukt von Misstrauen und geglaubten, raffiniert erzählten und perfid verbreiteten Lügen, die den letzten Stolz kosteten, um metaphorisch der listigen Schlange der Verwirrung den Kopf abzuschlagen. Jedenfalls hatte Nya noch nie eine derart beflügelte Mutter mit solch einem Strahlen auf dem Gesicht erlebt, als sie am folgenden Morgen beim Brunch auf sie traf. Das war ein echter Wendepunkt. Vor allem wenn sie daran dachte, was Mädy sonst noch über all die Jahre mit sich herumgetragen hatte.

Aber auch Nya hatte eine emotionale Achterbahn hinter sich, nachdem Geri in den späten Abendstunden in der Gegenwart seines Sohnes Hans sein Leben definitiv ausgehaucht hatte. Nya hatte sogar ihre reguläre Arbeitszeit verlängert, da auch die Ärzte kein Mittel mehr fanden, Geri am Leben zu erhalten und sie dieses besondere Kapitel bis an den absehbaren Schluss mittragen wollte. Ein Kapitel, das sich als bezeichnend für ihren eigenen Umgang mit dem Tod und ihre Einstellung zum Leben erweisen würde.

«Aber nicht etwa einer mit schulterlangen, braunen Haaren und auffallend blauen Augen?», wollte Nya wissen.

«Also so genau habe ich ihn auch nicht angeschaut», zwinkerte Trix. «Jedenfalls trug er Handwerkerkleidung – so viel weiss ich noch», betonte Trix mit ausgestrecktem Zeigefinger, den sie aber genauso schnell wieder zurückzog und kurz überlegte. «Ach ja, genau: Er meinte, er wäre bereits Montag wegen irgend so einer Lampe dagewesen – Hilft dir das weiter?»

Das war Renz, eindeutig. Nya überkamen kaltheisse Schauer, die als inneres Beben ihre ganze emotionale Beherrschung erschütterten, die sie sonst immer als Gefasste in allen Lagen charakterisierte. Aber jetzt wusste sie plötzlich nicht mehr, ob sie nun lachen oder weinen sollte. Zwar war es erst drei Tage her seit der Begegnung im Klösterli, aber diese Nachricht fühlte sich an, als würde ein Totgeglaubter nach einer Ewigkeit auf den Plan zurückkehren. Vor ihrem inneren Auge spielten sich alle möglichen Szenen einer bevorstehenden Wiederbegegnung ab. Und auf keine war sie vorbereitet. Denn an jenem Abend ging beim Abschied alles dermassen schnell und endete in einem unrühmlichen, emotionalen Desaster, so dass sie nie und nimmer nach so kurzer Zeit mit dieser Reaktion gerechnet hätte. Oder hatte sie es sich insgeheim eben doch gewünscht? Dieses Zeichen, das ihrem inneren Konflikt eine klare Antwort gegeben hätte?

«Alles in Ordnung, Nya?», unterbrach Trix, die sich von ihrer Kollegin normalerweise prompte Reaktionen und Antworten gewohnt war. «Nya?»

«Ja, ich denke schon, ja … hoffe es zumindest.» Ertappt in ihrem Tagtraum, nahm sie ihren vertrauten Kurs wieder auf, indem sie achselzuckend in den Korridor deutete. «Ich meine, die Lampe funktioniert ja wieder.»

Trix konnte sich ein verschmitztes Lächeln nicht verkneifen. «Sag mal, ist das etwa auch so eine Rockernase wie du?»

Nya antwortete Trix wortlos mit hochgezogenen Augenbrauen.

«Schon gut. Wie auch immer», meinte Trix ohne tiefer darauf eingehen zu wollen. Sie war schliesslich gerade auf dem Sprung. Dennoch wandte sie sich beim Büroausgang nochmals neckend an Nya: «Ach, du weisst ja, was man über Männer mit blauen Augen sagt, oder? ‹In einer Nacht so sternenklar, hüte dich vor blauen Augen und dunklem Haar›.» Trix grinste vergnügt. «Ah, oder der: ‹Blaue Augen sind gefährlich, aber …›»

«Ach weisst du», winkte Nya belustigt ab, «vielleicht möchte ich das gar nicht wissen!»

Trix schmunzelte amüsiert, wurde aber wieder ernst. «Übrigens habe ich ihm gesagt, dass er heute Nachmittag ab ein

Uhr sein Glück nochmals versuchen soll. Ich hoffe, das ist in Ordnung.»

«Gute Trix, danke», freute sich Nya und warf ihrer Kollegin winkend eine Kusshand zu. «Dir einen schönen Nachmittag!»

Nya atmete vorerst mal kurz durch. Nachdem bei der Schichtübergabe und den entsprechenden Zuteilungen alles fix über die Bühne gegangen war, hatte Trix mit dieser Fussnote unmittelbar vor ihrem Abschied ihre gestandene Stationskollegin ins Rudern gebracht. Doch die Verschnaufpause war von kurzer Dauer.

«Ja, sie ist im Stationsbüro», hörte man Trix aus dem vorderen Ende des Ganges auf eine kaum verständliche Männerstimme antworten. Und kurz darauf erschien an der offenen Stationstür tatsächlich der junge Elektriker vom Montagmorgen, dem man unverkennbar vom Gesicht ablesen konnte, dass es ihn seinen ganzen Mut gekostet hatte, hier aufzutauchen.

«Guten Tag. Ist es erlaubt?» Der Handwerker blieb erwartungsvoll an der Tür stehen. Bis auf Britta, die sich gerade in ein Patientenprotokoll vertieft hatte, waren alle Pflegefachfrauen auf den Zimmern bei ihren zugewiesenen Patienten.

«Hoi Renz, aber gerne doch!», begrüsste ihn Nya freundlich mit einem Handzeichen.

Da war sie wieder, dieselbe warme Stimme wie bei seiner ersten Begegnung. Eine Stimme, die Renz vom ersten Augenblick an verzaubert hatte und die nun alle Anspannungen und Zweifel, die sich vor dieser Wiederbegegnung zusammengebraut hatten, im Nu auflösten.

«Hey», stieg Nya ein und versuchte damit das Gesprächsvakuum auszufüllen, «endlich wieder flimmerfreies Licht im Korridor. Das war eine echte Erlösung, kannst du mir glauben.»

«Ach ja, die Neonröhre», erinnerte sich Renz erleichtert. «Der Vorgänger hatte vergessen, nebst der neuen Röhre auch gleich einen neuen Starter einzubauen – klassischer Flüchtigkeitsfehler, kann halt mal passieren.» Renz schielte kurz auf seine Uhr. «Also, eigentlich habe ich gar nicht lange Zeit – genau genommen sollte ich schon wieder auf der Baustelle sein. Aber vorher wollte ich mich noch einmal bei dir entschuldigen.»

«Entschuldigen? Wofür denn?»

«Für diesen blö…» Renz zögerte kurz und rollte mit den Augen. «Für diesen Traum.»

Nya schwieg, während sie sich noch einmal die Begebenheiten im Klösterli in Erinnerung rief und dabei immer wieder an ihrer Reaktion des abrupten Abgangs hängenblieb. «Ich denke, ich bin dir eine Erklärung schuldig», unterbrach Nya schliesslich ihre Stille. «Kennst du das neue Tearoom in Riggisberg?»

«Ja, klar. Da war ich auch schon.»

«Bestens. Dann heute Abend um neun?»

Da liess sich Renz nicht zweimal bitten. Nachdem er seit Dienstag unruhige Nächte und kaum verstreichende Arbeitsstunden hinter sich hatte, entspannte sich seine Gemütslage schlagartig. Auch wenn er sich noch nicht vorstellen konnte, was ihn erwarten würde, beflügelte ihn der schlichte Gedanke an die bevorstehende Verabredung und machte aus dem anspruchsvollen Arbeitsnachmittag eine erheblich erträglichere Angelegenheit. Erst am Abend machte sich die Nervosität bemerkbar, als er knapp eine halbe Stunde vor der abgemachten Zeit das Tearoom betreten hatte und nach dem geeigneten Platz suchte. Und sie stieg unaufhaltsam an, als er sich gesetzt hatte und buchstäblich die verbleibenden Minuten zählte. Dabei war es noch nicht mal neun, als sich die äussere Eingangsschiebetür zum wiederholten Mal öffnete und endlich diejenige Person eintrat, die er erwartet hatte.

Und wie im Klösterli konnte sich Renz dem bezaubernden Anblick nicht entziehen. Er versuchte diszipliniert, seine Beherrschung zu behalten und mit einem Handzeichen auf sich und den gemütlichen Platz im hinteren Drittel einer erhöhten Ebene, die wie eine Empore gestaltet war, aufmerksam zu machen. Und ehe er sich's versah, konnte er nicht mehr unterscheiden, ob er nun träumte, oder ob sich die Frau aus seinem Traum wahrhaftig vor seinen Augen auf ihn zubewegte.

«So», pustete Nya entspannt, «endlich geschafft!» Dass sie innerlich etwas aufgeregt war, liess sie sich nicht anmerken. Stattdessen hängte sie gelassen Jacke und Handtasche über den Stuhl und wandte sich lächelnd Renz zu, während sie sich hinsetzte. «Wartest du schon lange?»

Renz schien überfordert. Tatsache war aber, dass er einfach nicht mehr aufhören konnte, Nya anzuhimmeln, worauf seine Worte etwas holprig über seine Lippen kamen. Er rutschte unruhig auf seinem Stuhl und suchte die angenehme Sitzposition. «Nein, nein. Ich war nur etwas früh dran und hab schon mal einen Platz ausgesucht.»

«Oh, super, danke», sagte Nya und schaute um sich. «Mir gefällt's hier – ist so richtig gemütlich. Diese weiss verputzten Laubenbögen, kombiniert mit den kunstvoll gestalteten Eisengittern und dem gebeizten Holz erzeugen zusammen eine sowohl behagliche als auch zeitlose Atmosphäre, unterstützt von samtigen, violetten Polstern der Bänke und Stühle.»

«Du scheinst ja richtig viel von Einrichtungen zu verstehen …»

«Gerne auch einen Schwarztee mit Milch», antwortete Nya der Serviertochter, wandte sich umgehend aber wieder ihrem Gegenüber zu. «Mein Vater ist Maurer und hat eine architektonische Ader, da bekommt man so einiges mit. Zudem hat er unser Zuhause nach seinem entworfenen Projekt umgebaut.» Nya verschränkte gelassen ihre Hände unter dem Kinn. «Und du? Hattest du streng?»

«Ein typischer Freitag», reagierte Renz, allmählich entspannt und angekommen, «alles musste noch kurzerhand erledigt sein, aber ist alles prima aufgegangen. Und bei dir?»

«Nun ja, heute war vergleichsweise ein ruhiger Tag, wenn ich an den Rest der Woche denke …»

«Kann ich bestätigen.»

«Also Gotthard waren spitze, oder?»

«Definitiv!»

Beide lachten und kamen prompt wieder ins Schwärmen über den fulminanten Auftritt der einheimischen Rocker. Sie liessen das Konzert revuepassieren und kommentierten ihre Lieblingsmomente in heiterer Gesprächskultur, so dass sich auch mal der eine oder andere Kopf verwundert in ihre Richtung drehte.

«Nein, im Ernst», griff schliesslich Nya ein, «es tut mir Leid, wie die Sache am Dienstag ausgegangen ist. Das wollte ich gar nicht. Ich meine, ich hatte selten einen so schönen Abend, ich habe ihn total genossen. Aber als du mir diesen Traum erzählt hast, konnte ich meinen Ohren nicht trauen. Ich konnte es einfach nicht fassen, dass jemand all diese Einzelheiten aus einem Traum lesen konnte, die obendrauf auch mich betrafen.»

«Glaub mir», entgegnete Renz, indem er sich nach vorne beugte, «das war mir nicht im Geringsten bewusst. Das Letzte, was ich nämlich gewollt hätte, wäre, dass es nach einer billigen Anmache klingt.»

«Nein, nein», beruhigte ihn Nya, «das tat es definitiv nicht. Du warst offen und ehrlich zu mir, ohne jemals draufgängerisch zu sein – das hat mich echt beeindruckt. Ob du's glaubst oder nicht, aber nie zuvor war ein Mann mir gegenüber so unvoreingenommen zugänglich und feinfühlig.»

«Das bin ich normalerweise eben überhaupt nicht, sondern eher verschlossen und abgeklärt», erwiderte Renz, indem er sich damit insgeheim auf diejenigen Eigenschaften bezog, die ihm die Beziehung zu Lea gekostet hatten. Ein flüchtiger Gedanke, der ihn kurz zu vernebeln schien. «Aber bei dir …», fuhr er fort, indem er träumend an die Decke starrte, «kann ich es mir nicht erklären.»

«Könnte es eventuell sein», versetzte Nya geschmeichelt, «dass es auch Dinge gibt, für die man eine komplexe Erklärung sucht, obwohl es vielleicht eine einfache Antwort gäbe?»

«Puh», stöhnte Renz, «Glauben und Wissen, das ewige Dilemma», und lehnte sich in den Stuhl zurück. «Weisst du, seit der Geschichte mit meinem Bruder habe ich mir viele Gedanken über diese Diskrepanz gemacht. Und ich bin zum Schluss gekommen, dass es nichts gibt, was gewisser ist als der Tod. Und trotzdem …» Renz kratzte sich nachdenklich am Kopf und starrte auf sein Teeglas. «Selbst wenn die Medizin oder die Wissenschaft mir erklären kann, wie und warum sich mein Bruder das Leben genommen hat, macht es den Verlust und den Schmerz nicht erträglicher. Das Leben muss doch irgendwie mehr sein als ein blosses Dasein, das sich wie ein Licht per Schalter einfach auslöschen lässt. Ein sinnloses Hinvegetieren, ein Kampf ums eigene Glück und Überleben?» Renz legte seine fragende Hand gelöst auf den Tisch. «Nein, das glaube ich nicht …»

«Ich verstehe deine Gedanken sehr gut», bestätigte Nya, darf ich dir dazu eine Geschichte erzählen?»

Renz nickte.

«Es war einmal ein Mädchen, das in einem kleinen Dorf lebte und wohlbehütet aufwuchs. Ihre frühe Kindheit schien unbeschwert: Sie spielte sich wie alle anderen Kinder und zusammen mit ihrem jüngeren Bruder unbekümmert durch das Leben. Doch eine rätselhafte Vorahnung, die sie nicht einordnen konnte, verstimmte hin und wieder ihr sorgloses Gemüt. Ein Gefühl, das sich irgendwann bestätigte, als sie erschütternd herausfand, dass sie eigentlich eine Zwillingsschwester gehabt hatte, die aber nicht mehr da war. Seither verstand sie die immer wiederkehrenden Stimmungsschwankungen ihrer Mutter, die zeitweilig bis hin zu einer schweren Depression anwuchsen. Das Leben zuhause wurde zur täglichen Herausforderung, manchmal gar zum Überlebenskampf. Eine medizinische sowie psychotherapeutische Behandlung bewirkten schliesslich Stabilität und zunehmende Heilung. Das Mädchen hingegen vergrub ihren Verlust, den sie erst mit den Jahren zu verstehen und damit umzugehen lernte, in der Musik. Dort fand sie Trost und Kraft, aber auch Antworten, die ihr sonst niemand hätte geben können. Es war ihre unschuldige, heile Welt. Eine Welt, die ihr half, ohne ihre Zwillingsschwester, die sie so gerne gekannt hätte, gross zu werden. Aber irgendwann wurde ihr klar, dass die Zeit kommen würde, sich von ihrer Schwester zu verabschieden – etwas, wozu sie ja gar nie die Möglichkeit gehabt hatte. So kaufte sie sich einen Anhänger aus zwei Teilen und ging damit an ihren heiligen Ort, einem idyllischen Platz in einem kleinen Waldstück. Den einen Teil vergrub sie in der Erde, den anderen behielt sie als Erinnerung zurück. Dabei schloss sie an diesem Tag mit Gott einen Bund. ‹Gott›, sagte sie, ‹ich verstehe zwar nicht, warum meine Schwester sterben musste, aber mir bleibt nichts anderes übrig als darauf zu vertrauen, dass du dafür deine Gründe hast und sie bei dir ist. Deshalb lasse ich ihr kurzes Erdenleben jetzt los und befehle sie in deine Hände. Was ich zurückbehalte ist das unsichtbare Band, das uns als Geschwister verbindet und mich stets ermutigen möge, den Menschen allen Umständen zum Trotz Hoffnung weiter zu geben und ihnen Mut zu machen.›»

Renz hing Nya gebannt an den Lippen, während sie mit der Hand den Ausschnitt ihres feinen Strickpullovers leicht nach unten zog, so dass man ihren Anhänger sehen konnte. «Es ist das rechte Gegenstück des Anhängers der Frau, die du im Traum gesehen hast.»

«Deine Zwillingsschwester?»

Nya nickte. «Ihr Name ist Eleanora. Meine Mutter erklärte mir eines Tages, dass ihr Herz nach der Geburt einfach zu schlagen aufgehört habe, obwohl sie kerngesund war. Als mir dieses Elend mit zunehmendem Alter bewusst wurde, gab es keinen Tag mehr, an dem ich sie nicht schmerzlich vermisste. Es war, als würde ein Teil von mir fehlen, als wäre ich nicht komplett.» Nya fuhr sich mit den Händen andächtig übers Gesicht. «Bis ich mit dem Vergraben des Anhängers verstand, dass mein ganzes Lebensglück von etwas Höherem und Unvergänglichem bestimmt ist.» Nya hielt inne und nickte still vor sich hin, bevor sie anfügte: «Du hast vorhin gesagt, dass nichts gewisser ist als der Tod. Aber genauso ist nichts erlösender als die Hoffnung. Und nichts ist grösser als die Liebe.»

Renz nickte und schüttelte gleichzeitig den Kopf. «Ich bewundere, wie du das geschafft hast.»

«Von dem Moment an, als du mir die Geschichte mit deinem Bruder erzählt hattest, wusste ich, dass du mich verstehen würdest», bedankte sich Nya. «Und etwas tief in mir sagt mir auch, dass ich dir all das anvertrauen konnte.»

Renz blickte Nya erneut voller Bewunderung an, während sie einen Schluck aus dem Teeglas nahm.

«Was ist? Habe ich dich etwa mit meinen Worten erschlagen?»

«Nein», erwiderte Renz kopfschüttelnd, «überhaupt nicht. Im Gegenteil: Ich könnte dir stundenlang zuhören. Es fühlt sich an, als würde ich dich schon lange kennen, als …» Renz unterbrach plötzlich seinen Satz und schaute Nya forschend in die Augen.

«Als?», hakte Nya mit fragenden Händen nach.

«Als hätte ich schon lange auf dich gewartet.»

Nun musste Nya ihre Emotionen zurückhalten, um nicht von einem Moment auf den anderen in Tränen auszubrechen. Stattdessen senkte sie ihren Blick und tastete nach ihrer Handtasche, aus der sie einen kleinen, nachtblauen Samtbeutel nahm. Wortlos griff sie in das Schnürsäckchen und zog einen Anhänger heraus, den Renz von seinem Traum her bestens kannte.

«Aber», sprach Renz mit verhaltener Stimme und bestaunte mit glänzenden Augen das Juwel, das nun greifbar vor seinen Augen baumelte, «ich habe gemeint, du hättest ihn begraben?»

«Und ich habe ihn losgelassen», versicherte Nya und legte den Anhänger vor sich auf den Tisch. «Deshalb hatte ich mir auch keine Gedanken darüber gemacht, was mit der vergrabenen Hälfte hätte passieren können. Es lag nicht mehr in meiner Hand. Und so geschah etwas, womit ich überhaupt nicht gerechnet hatte: Der Anhänger gelangte in fremde Hände und hat wundersame Geschichten geschrieben, bis er schliesslich – völlig unerwartet – auf erstaunliche Art und Weise zu mir zurückgekommen ist.» Nya betrachtete träumend das bedeutende Schmuckstück und fügte flüsternd an: «Und ich kann mir gut vorstellen, dass er noch eine weitere schreiben könnte …»

Nya ergriff den Anhänger und legte ihn einladend vor Renz hin. «Bist du bereit?»

ANHANG

Nachwort
Dank
Quellenverzeichnis

Nachwort

Ein Roman lässt normalerweise viel Spielraum für Fiktion. Das war auch bei der vorliegenden Geschichte nicht anders. Trotzdem war es mir ein grosses Anliegen, die historischen Hintergründe und Fakten möglichst getreu den vorhandenen Quellen respektvoll zu behandeln und nicht in ein falsches Licht zu rücken. Als ein Stück Berner Geschichte, das in einer Zeitspanne von über 600 Jahren spielt, soll es deshalb historisch, geographisch und kulturell möglichst authentisch erzählt bleiben. Gleichwohl sind bis auf Anna Seiler, die historisch dokumentiert ist, alle agierenden Figuren fiktiv. Doch einige wurden durch echte Persönlichkeiten belebt. Die gesamte Geschichte ist durch wahre Begebenheiten inspiriert.

Die Balance zwischen Realität und Fiktion bleibt also eine Kunst per se. Ein Roman soll packen, unterhalten und den Eindruck vermitteln, wahr zu sein. Um es mit Nyas Worten zu besiegeln: «Was ist das bloss für eine unglaubliche Geschichte …»

Dank

Ein Buch erscheint zwar unter dem Namen des Autors, was aber nicht heisst, dass er allein daran beteiligt war. Denn ohne das Engagement vieler wäre diese Publikation gar nicht möglich gewesen. Deshalb stehe ich an dieser Stelle dankbar auf die Seite und rücke gerne diejenigen Personen in den Vordergrund, die mitgeholfen haben, meine Idee zu konkretisieren.

Zunächst richtet sich mein Dank an meinen Verlag; denn auch eine Selbstpublikation setzt qualifiziertes Personal voraus, das sich bei BoD in Form von Fachkompetenz und Hilfsbereitschaft in jeglichen Dienstleistungen vorbildlich bewährt hat.

Ein riesiger Dank geht an diejenigen Personen, die sich meiner niedergeschriebenen Gedanken prüfend angenommen und sich damit auseinandergesetzt haben: Meine Testleser Regina Oester, Mona Schmutz, Patrick Bart und Marlis Steffen, die mein Manuskript grammatikalisch, orthografisch und stilistisch begleitet hat.

Ein besonderer, unermesslicher Dank richte ich zudem an alle Stations-Pflegerinnen und -Pfleger, die sich Tag für Tag fürsorglich um das Wohl der Nächsten kümmern. Ihr beeindruckt mich und habt mich zu einem erheblichen Teil dazu inspiriert, dieses Buch zu schreiben.

Aber was wäre all die Arbeit ohne meine wunderbare Familie? Sie hat mir vertrauensvoll die Zeit gewährt, dieses Projekt zu realisieren, ohne bisher auch nur eine einzige Zeile davon gelesen zu haben. Ich liebe euch und ich hoffe, das Warten hat sich gelohnt.

Ewiger Dank gebührt schliesslich demjenigen, der den Wind von Station 5 ausgelöst hat – Er, der den Schlüssel von Leben und Tod in seiner Hand hält.

Quellenverzeichnis

Zitate

Seite 7: Johannes 3:8: Die Bibel, Revidierte Elberfelder Übersetzung, SCM-Verlag GmbH & Co. KG, Witten 2008

Seite 92: *Sanctus* aus dem dem Ordinarium des Missale Ro-
manum; offizieller Wortlaut 2002

Seite 120: Psalm 139: Die Bibel, Neues Leben Übersetzung,
SCM Verlagsgruppe, Holzgerlingen 2002

Seite 140: In the Shade of the Sun (Sandi Saraya, Anthony
Bruno): Saraya – When the Blackbird sings (PolyGramm
Records 1991)

Historischer Hintergrund

Testament der Frau Anna Seiler: Abschrift des Testaments
der Frau Anna Seiler aus dem Jubiläumsbuch «600 Jahre
Inselspital» (1954), Verwaltungssekretariat der Inselspital-
Stiftung; online unter:
https://www.inselgruppe.ch/fileadmin/Insel_Gruppe/Doku
mente/Insel_Gruppe/Anna-Seiler-Testment.pdf [02.02.2018]

Zur Geschichte des Insel-Klosters (1858–1860) in: Archiv des
Historischen Vereins des Kantons Bern, Band 4, Heft 1 und
2; online unter:
http://dx.doi.org/10.5169/seals-370680 [25.02.2018]

Frey, Hans (1941): Das Inselspital: seine Vergangenheit, seine
Organisation und seine Erweiterung durch das Lory-Spital,
in: Das Rote Kreuz, Band 49, Heft 22; online unter:
http://doi.org/10.5169/seals-547386 [07.03.2018]

Petzold, Maja (2014): Der Schwarze Tod, in: Seniorweb – Wissen, Gesellschaft; online unter: https://www.seniorweb.ch/knowledge-article/der-schwarze-tod [02.03.2018]

Von Rodt, W. E. (1922): Bernische Spitäler im Mittelalter, in: Verhandlungen der Schweizerischen Naturforschenden Gesellschaft, Band 103; online unter: https://www.e-periodica.ch/digbib/view?pid=sng-005:1922:103#455 [25.02.2018]

Zesiger, A. (1918): Die Pest in Bern, in: Blätter für bernische Geschichte, Kunst und Altertumskunde, Band 14, Heft 4; online unter: http://doi.org/10.5169/seals-183151 [02.03.2018]